A Int

A ciência de criar a vida que você deseja

INTENTIONAL
CREATIONS

Juliet Adams

St Johns Innovation Centre, St Johns, Cambridge CB4 OWS
www.intentionalcreations.today

Design da capa: Hubspot_Pro

Copy Editor: Annie Jenkinson, Just Copyeditors.

Capa comum: ISBN 978-1-9160844-2-1

Traduzido por: Felipe Gonzalez

Agradecimentos

Este livro é dedicado à minha amiga e colega, neurocientista e autora Dra. Tamara Russell que contribuiu com conteúdo, ideias e energia ilimitada para este projeto.

https://www.mindfulnesscentreofexcellence.com

Com meus especiais agradecimentos ao Felipe Gonzalez, Hipnoterapeuta e Instrutor de Hipnose, pelo trabalho árduo, conhecimento e dedicação de muitas horas no projeto de tradução deste livro.

Felipe faz atendimentos em seus consultórios de São Paulo e Jundiaí (SP). www.felipegonzalez.com.br

Gostaria de agradecer a todos os indivíduos que inspiraram e moldaram os estudos de caso.

Também gostaria de agradecer a todos aqueles que me informaram e me inspiraram através de seus escritos e pesquisas no campo da intenção, atenção plena e neurociência: especialmente (em nenhuma ordem específica) Dawson Church, Lynne McTaggart, Barbel Mohr, Elisabeth Pacherie, Dr. Rick Hanson, professor Mark Williams, Dr. Shauna Shapiro, Amishi Jha, Andy Hafenbrack, Dr. Jeremy Hunter e Dr. Dr. Jutta Tobias.

Table of Contents

Sobre este livro

"Suas intenções preparam o terreno para
o que é possível."

Shauna Shapiro, 2006

Intenção é uma coisa muito poderosa. Quer você perceba ou não, ele sustenta todas as suas ações. Todo mundo usa a intenção em um nível instintivo e inconsciente.

Somente nos últimos anos os acadêmicos começaram a pesquisar o impacto da intenção e a propor teorias sobre como a intenção funciona.

No entanto, embora o poder transformador da intenção esteja disponível gratuitamente para todos, ainda há muito pouco escrito sobre o assunto que seja informado por evidências, prático e acessível a todos.

Este livro é um guia prático e prático baseado nas pesquisas mais recentes, escrito para pessoas inteligentes que desejam se equipar com o conhecimento necessário para transformar todos os aspectos de suas vidas, em vez de seguir cegamente os gurus.

A intenção importa fornece orientação prática, permitindo que você concentre conscientemente e direcione sua intenção de obter as coisas que mais deseja da vida.

A intenção pode tornar o aparentemente impossível, possível. Pode transformar sua riqueza, carreira, relacionamentos e felicidade.

Neste livro, a intenção é definida como: "Um desejo sincero e profundo, sustentado por uma crença de que é possível".

Intenção e objetivos não são a mesma coisa, e é por isso que muitos objetivos falham em alcançar os resultados desejados. Você encontrará mais sobre isso no Capítulo 1.

Quando você define uma intenção, sua mente comanda seu cérebro, acionando processos cognitivos que fazem as coisas acontecerem no mundo real. No capítulo 1, você descobrirá o modelo I-AM que descreve esse processo com mais profundidade.

Meu interesse pela intenção surgiu do meu trabalho como especialista em desenvolvimento de liderança e produtividade no local de trabalho. Desde 2009, sou pioneira no uso da atenção plena no ambiente de trabalho. O treinamento da atenção plena é sustentado por mais de 5000 trabalhos de pesquisa. Ele aprimora o controle atencional, levando a melhorias no autogerenciamento e desempenho.

Ao longo dos anos, ensinei milhares de profissionais ocupados em empresas que variam de organizações FSTE 100 a autoridades locais e fundos do NHS.

De acordo com Shauna Shapiro (Mecanismos de Atenção

Plena: 2006), três elementos principais sustentam a atenção plena: intenção, atenção e atitude.

Quanto mais eu pensava na intenção, mais percebia que ela sustentava praticamente tudo o que fazemos na vida. Todo mundo pode se beneficiam do poder da intenção e as possibilidades são absolutamente ilimitadas; intenção é um recurso disponível gratuitamente para todos, desde que você saiba como ativá-lo.

Quando me propus a escrever este livro, pretendia entregar um volume acadêmico pesado para pessoas de negócios, com alguns capítulos práticos de aplicação. Em diálogo com líderes, gerentes de RH, treinadores de mindfulness, consultores de negócios e treinadores, decidi que um livro de bolso, de leitura rápida, seria melhor para atender às necessidades dos meus leitores e este livro nasceu.

Neste livro, você encontrará:

- que é a intenção e por que é importante.

- A ciência da intenção, incluindo o modelo I-AM para explicar como as intenções são ativadas.

- Um guia passo a passo para ajudá-lo a começar a trabalhar com intenção, incluindo a estrutura da IDEA que divide o processo em quatro etapas fáceis.

- Ferramentas e técnicas para ajudá-lo a identificar e atingir suas principais intenções.

- Dicas e sugestões práticas para solução de problemas.

Eu recomendo que você leia este livro sequencialmente, mas sinta-se à vontade para entrar e sair também - nesse caso, você encontrará o glossário de termos na parte de trás do livro útil.

É *minha* intenção que este livro seja prático e acessível, e que você, leitor, comece a se beneficiar rapidamente de aproveitar o poder da intenção e a criar a vida que deseja.

Juliet Adams, Julho de 2020

https://www.aheadforwork.com

https://www.intention-matters.com

Parte Um

O que é intenção e por que isso importa?

Capítulo 1

Coisas que você precisa saber sobre a intenção

"O que manifestamos está diante de nós; nós somos os criadores do nosso próprio destino. Seja por intenção ou ignorância, nossos sucessos e fracassos foram provocados por ninguém menos que nós mesmos".

Garth Stein, a arte de competir na chuva

Neste capítulo:

- ✌ *Que é intenção?*
- ✌ *Por que a intenção é mais poderosa que os objetivos*
- ✌ *Mega, principais e intenções aninhadas*
- ✌ *Exemplos de pessoas que alcançaram suas intenções contra as probabilidades*
- ✌ *Benefícios de viver e trabalhar com intenção*

O que é intenção?

Muitas pessoas associam a palavra *intenção* ao significado subjacente ou subjacente ao que as pessoas fazem e dizem. É a motivação ou o "maior porquê" dirigindo e moldando pensamentos, palavras e ações. No entanto, a intenção pode ser muito mais ampla e, portanto, é um conceito complicado de definir.

Para trabalhar e se envolver ativamente com a intenção, é importante definir o que é intenção e - como foi mostrado acima - a aplicação dela; portanto, a definição de intenção pode ser diferente.

A palavra intenção vem do latim *intentitus*- "um alongamento na direção". Abaixo estão algumas outras definições comuns:

- O dicionário American Heritage o define como "um objetivo que guia a ação".

- No dicionário de Cambridge, é "algo que você deseja e planeja fazer".

- O dicionário Merriam Webster define como "uma determinação para agir de uma certa maneira".

- Leonard Laskow, médico e pesquisador, refere-se a ele como "prender a atenção em um resultado desejado - prender a atenção requer vontade, que é um desejo persistente e focado".

Levar essas definições em consideração, juntamente com os resultados de pesquisas acadêmicas e minha experiência pessoal e profissional em muitos contextos, minha definição de intenção de trabalho é a seguinte:

Intenção é um desejo sincero e profundo, associado à crença de que é possível.

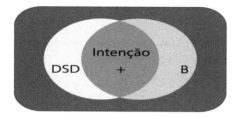

Figura 1: Intenção = DSD + B © 2020 Intentional Creations

O Modelo de Ativação da Intenção (Intention Activation Model I-AM) detalha como o Desejo Sincero e Profundo (deep, sincere desire-DSD) + Crença ativam a Vontade e alocam atenção (belief-B). Isso permite que vários processos cognitivos nas redes cerebrais sejam aproveitados, levando a ações transformando intenções em realidade.

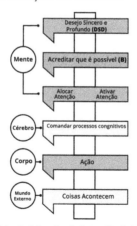

Figura 2: Modelo de Ativação de Intenção (I-AM) © 2020 Intentional Creations

A diferença crítica entre objetivos e intenções

Desde tenra idade na escola, os alunos são ensinados a definir objetivos e trabalhar em direção a eles. Esses objetivos devem ser SMART: específicos, mensuráveis, realizáveis, realistas e com prazo determinado. Embora as metas SMART possam ajudá-lo a obter uma tarefa na escola a tempo, atingir uma meta de desempenho no trabalho ou entregar um projeto, elas também podem ser altamente restritivas.

O foco deles é ao mesmo tempo uma ajuda e uma limitação, dependendo da circunstância - e da intenção!

Os objetivos mantêm você no caminho certo, mas muitas vezes inibem a criatividade e a inovação. Às vezes, eles se tornam barreiras para alcançar o que é realmente importante ou necessário no trabalho, em casa ou na vida em geral.

Nestes tempos de incerteza e volatilidade, as metas podem realmente dificultar o seu progresso. Trabalhar com intenção, por outro lado, permite que você seja mais flexível, ágil e resiliente. A intenção é cada vez mais reconhecida como uma habilidade cognitiva que pode ser aprendida. Intenções são frequentemente confundidas com objetivos, mas há várias diferenças críticas.

Objetivos	Mega intenções, intenções centrais e intenções aninhadas
Foco no futuro	Maior e mais ousado! Enraizado no presente momento
Estreito	Amplo
Um destino ou conquista específica	Vivida todos os dias, independentemente de atingir a meta ou destino
Geralmente curto prazo	Muitas vezes longo prazo
Geralmente fixo e lógico	Criativo e intuitivo
Muitas vezes externamente imposto ou superficial	Muitas vezes sincero e pessoal, resultante de um desejo profundo

Formas de Intenção

As intenções e a escala de intenções variam de pessoa para pessoa. Para os fins deste livro, dividi as intenções em quatro categorias: mega intenções, intenções principais, intenções aninhadas e micro intenções.

A maioria da Parte Dois deste livro concentra-se em trabalhar com as mudanças de vida *principais* intenções de. Se você é novo no trabalho com intenção, as micro intenções que mudam o dia são um ótimo lugar para começar.

Figura 3: Diferentes formas de intenção © 2020 Intentional Creations

ஒ **Mega intenções** - grandes, potencialmente capazes
de mudar o mundo. Mega intenções não são para
os fracos de coração e podem levar uma vida inteira
para alcançar ou mesmo começar. Se você apresentar
uma mega intenção na Etapa 1 do processo IDEA,
definitivamente precisará dividi-la em intenções
centrais, aninhadas e micro. Não fazer isso pode levar
a uma sensação de opressão, procrastinação, medo
e não começar.

    o   Você precisará envolver outras pessoas para
        realizá-lo.

ஒ **Intenções centrais** –menores em escala e muito mais
independentes do que as mega intenções. Podem

contribuir para a realização de mega intenções ou funcionar de forma autônoma

- 🙌 **Intenções aninhadas** - intenções que, quando alcançadas, contribuem para a consecução de sua intenção principal. Você pode identificá-las inicialmente como intenções centrais e depois descobrir que elas fazem parte de uma intenção maior ou abrangente para a qual essa intenção contribui.

- 🙌 **Micro intenções** - menor em escala e duração do que as intenções aninhadas ou centrais. Você pode definir uma intenção para o dia ou uma reunião ou uma conversa importante. Veja o Capítulo 4 para mais exemplos.

Nos Capítulos 5 e 6, você encontrará detalhes de vários estudos de caso sobre **como** trabalhar com intenção. Isso inclui Fernando e Advik (mega intenções) e Natasha, Helen e Hank (intenções centrais e aninhadas)

O poder da intenção

Quer você perceba ou não, a intenção já molda muitos aspectos da sua vida. Suas intenções conscientes e inconscientes influenciam a escolha de um parceiro de vida, sua carreira, a maneira como você cria seus filhos, onde mora, o carro que dirige e quanto d' tem - a lista não tem fim.

Crenças limitantes (consulte o Capítulo 1) vou conseguir esse emprego" ou "Eu não s' inteligente o suficiente" restringem seu você sentir que tem escolhas limitadas, mas na realidade, essas limitações são amplamente auto-impostas. A história está repleta de exemplos de pessoas que alcançaram suas intenções contra as probabilidades.

- **THOMAS EDISON** - um dos inventores mais prolíficos da história, estudava em casa desde os quatro anos de idade, porque sua escola achava que ele era "estúpido demais para aprender". A mãe dele escondeu isso do filho, ensinando a Thomas. Apesar de receber apenas três meses de educação formal, sua intenção de ser um inventor o levou a se tornar um dos inventores mais prolíficos da história.

- **WALT DISNEY** - depois de visitar vários parques de diversões com suas filhas nas décadas de 1930 e 1940, ele decidiu criar a Disneylândia como uma atração turística para entreter os fãs que desejavam visitar. Apesar de ter sido recusado por mais de 100 bancos quando tentou obter financiamento para o desenvolvimento da Disneylândia, e sofrendo de várias falências, ele continuou a alcançar sua intenção. A Disneylândia agora tem uma participação cumulativa maior do que qualquer outro parque temático do mundo.

Edison ou Disney teriam alcançado o mesmo sucesso se tivessem deixado as crenças autolimitantes ou as crenças dos outros atrapalharem? Intenção firme e inabalável é o que os evou a alcançar o que os outros consideravam impossíveis.

plos mais recentes de sucesso na carreira alimentada oder da intenção incluem:

10

🌑 A autora **JK ROWLING** tinha a intenção de escrever um livro sobre uma criança que escapou dos limites do mundo adulto e saiu para algum lugar onde tinha poder, literal e metaforicamente. Ela acreditava firmemente que este era um livro que crianças e adultos gostariam de ler e estabeleceu a intenção de escrever o livro e publicá-lo. Ela era uma mãe solteira divorciada que vivia de benefícios quando escreveu Harry Potter e a Pedra Filosofal. Ela levou sete anos desde a ideia até o livro completo. Ela foi rejeitada por doze publicadores antes de finalmente ser publicada e se tornar uma das autoras de maior sucesso de todos os tempos.

🌑 **HOWARD SCHULTZ** foi inspirado nos cafés italianos após uma viagem a Milão. Ele estabeleceu a intenção de melhorar esses cafés e apresentá-los em toda a América. Ele apresentou a ideia ao seu empregador de torrefadores de café, com sede em Seattle, que não tinha nenhum interesse em possuir cafés, mas concordou em financiar o empreendimento de Schultz. Eles venderam sua marca, Starbucks, não esperando muito disso. Em 2018, o patrimônio líquido da Starbucks foi estimado em US$ 30 bilhões.

A intenção de Rowling e Schultz levou à criação de produtos que tocaram a vida de bilhões de pessoas em todo o mundo.

Todos podem se beneficiar do poder da intenção, qualquer que seja sua circunstância. Jean-Dominique Bauby, Eddie the Eagle, Ruby Wax e Shona McKenzie - todos meus queridos amigos - são exemplos brilhantes do que é possível.

🌑 A aclamada atriz e comediante **RUBY WAX**

experimentou episódios de depressão durante a maior parte de sua vida. Quando ela finalmente entrou em uma clínica, percebeu como problemas de saúde mental eram generalizados, formando uma forte intenção de fazer algo para ajudar os outros. Em 2013, ela obteve seu mestrado em terapia cognitiva baseada na atenção plena pela Universidade de Oxford. Ela trabalhou com a Comic Relief para começar a reduzir os tabus em torno da saúde mental, apresentando em cartazes que diziam: "*Uma em cada quatro pessoas tem uma doença mental, uma em cada cinco pessoas tem caspa, eu tenho as duas.*" Ela levou sua doença a público e fez as pessoas falarem franca e abertamente sobre saúde mental. Seus programas, entrevistas na TV e na mídia e livros tiveram um efeito verdadeiramente transformador nas atitudes em relação à saúde mental em todo o mundo.

🙰 Aos 46 anos, **JEAN-DOMINIQUE BAUBY**[1] trabalhava como editor-chefe da revista francesa Elle. Em 1995, ele sofreu um derrame e entrou em coma. Ele acordou vinte dias depois, mentalmente consciente dos arredores, mas paralisado e incapaz de falar. Apesar disso, ele escreveu o livro número um mais vendido, *The Diving Bell and the Butterfly*, mais tarde adaptado para produzir um filme premiado. O livro inteiro foi escrito por Bauby piscando a pálpebra esquerda, que levou dez meses, trabalhando durante quatro horas por dia. O livro levou cerca de 200.000 piscadas para escrever e uma palavra comum levou aproximadamente dois minutos.

❧ Mãe de dois, **SHONA McKENZIE** [2] desenvolveu depressão, ansiedade e um distúrbio alimentar quando o marido a abandonou. Ela caiu de uma cadeira enquanto pintava o quarto do filho e quebrou as costas em dois lugares; ela foi diagnosticada com osteoporose. Os médicos inicialmente disseram que ela nunca mais voltaria a andar. Shona formou uma forte intenção de caminhar e recolocar sua vida nos trilhos, pedindo aos médicos que desenhassem um diagrama de exatamente onde estavam as fraturas. Todos os dias, ela meditava nas quebras de ossos com a intenção de que elas fossem consertar. Em menos de dois meses, ela estava caminhando novamente. Contra as probabilidades, sua densidade óssea aumentou. Um ano depois, ela se qualificou como instrutora de fitness em período integral.

Os temas comuns que fluem por todas essas histórias de sucesso são intenção e crença. Se você está livre de sua intenção e acredita firmemente que isso é possível, o potencial é ilimitado.

Por que a intenção é mais poderosa que as metas

No início deste capítulo, expliquei algumas das razões pelas quais a definição de metas geralmente falha em obter os resultados desejados. O Modelo de Ativação de Intenção (Intention Activation Model I-AM) explica isso ainda mais.

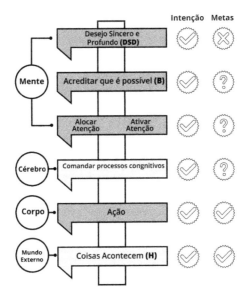

Figura 4: O Modelo de Ativação da Intenção (MAI) ilustra por que a intenção é mais importante que os objetivos © 2020 Intentional Creations

O ponto de partida para aproveitar o poder da intenção é um Desejo Sincero Profundo (Deep, Sincere Desire-DSD); esse não é geralmente o ponto de partida para os objetivos.

A crença (Belief - B) é necessária para inflamar a convicção de que as coisas podem ser diferentes. Nem sempre é esse o caso, principalmente se as metas são impostas.

Os objetivos levam à Ativação da Vontade (Will - AW) parcial ou não estruturada e à aplicação da Atenção Focada (Focused Attention - FA).

Supondo que você realmente deseja atingir a meta, e ela não foi imposta a você por outra pessoa, a meta deve levar a ações, resultando em coisas acontecendo.

Isso ilustra por que o estabelecimento de metas pode ser ineficaz, pois falha em estimular efetivamente a mente e o cérebro a fornecer energia para acionar o mecanismo - tanto mental quanto físico - que faz as coisas acontecerem.

Veja o Capítulo 3 para uma explicação completa do modelo I-AM.

Os benefícios de viver e trabalhar com intenção

Compreender o potencial de trabalhar com a intenção fornece três habilidades essenciais para a vida:

- ஒ Ajuda a gerenciar seu recurso mais importante, a atenção.

- ஒ Dá-lhe maiores escolhas na vida.

- ஒ Economiza energia.

Intenção economiza tempo e energia

Definir uma intenção firme pode ser muito útil, pois ajuda você a abandonar as coisas que NÃO estão alinhadas com sua intenção.

Tendo estabelecido intenções, os processos cognitivos do seu cérebro podem funcionar mais facilmente quando você "sair da pista". Isso significa que você pode abandonar o que não é sua prioridade ou o que não é importante - ou, naquele momento, menos importante - e voltar aos trilhos, economizando energia e tempo.

No nível mental, se você definir a intenção de ouvir (por exemplo), então será mais fácil perceber quando você está *não* ouvindo, talvez porque você está sonhando, perdido em uma fantasia sobre um feriado, ou ensaiando sua resposta. Você é capaz de se libertar dessa atividade mental mais rapidamente e voltar a apenas ouvir. Por ter a intenção de ouvir, você ouvirá muito mais e com mais clareza.

Apenas ouvir - e minimizar a confusão mental associada - é eficaz porque significa que seu cérebro pode codificar um nível mais profundo de dados no processo de audição. Você se lembrará mais sobre o que foi dito e terá uma memória maior de todas as informações não verbais mais sutis que contextualizaram o que foi dito. Também parece completamente diferente para a pessoa que você está ouvindo, aprofundando os relacionamentos e a confiança.

No mundo de hoje, isso é tão importante quanto existem muitos drenadores e distratores de energia para sua mente e cérebro. Se você nunca parar para parar e verificar suas intenções, as distrações podem mantê-lo infinitamente ocupado por anos, até décadas.

A intenção oferece mais opções na vida

Uma grande coisa sobre trabalhar com a intenção é que ela oferece mais opções. Nesse momento de consciência, quando você percebe que não está no caminho certo com seu plano ou intenção, você tem uma escolha; de fato, você tem vários. Você pode continuar com o que estava fazendo - talvez tendo um bom devaneio ou se distrair novamente pelas mídias sociais - ou pode optar por voltar à sua tarefa. Nesse ponto, você também pode - se desejar e se necessário - modificar suas intenções.

Diferentemente dos objetivos que tendem a ser finitos, levando ao "sucesso ou fracasso", as intenções têm flexibilidade e podem ser revisadas a qualquer momento.

A intenção direciona e potencializa a atenção

O ato de definir uma intenção pode aproveitar todo o poder de sua mente e cérebro para muitas tarefas. Sua atenção fica turbo quando sua mente aloca a atenção para o resultado que você deseja, desencadeando processos cognitivos na rede de atenção do seu cérebro. Você encontrará mais informações sobre isso no capítulo 2.

Vamos descompactar o exemplo acima, a intenção de ouvir.

Depois de decidir que a escuta é importante e definir a intenção de escutar, seu sistema atencional é preparado para priorizar o fluxo auditivo. Qualquer coisa que entra no seu cérebro através dos seus ouvidos tem automaticamente um passe VIP de "prioridade" para a sua consciência. Dessa maneira, a intenção focaliza e orienta a atenção.

Quando você percebe que está pensando em e-mails que deixou sem resposta, se o próximo cliente chegará ou não no prazo ou que você esqueceu de comprar papel higiênico no caminho de casa, o fato de ter definido a intenção de ouvir significa que seu cérebro irá alertá-lo rapidamente sobre essas sensações mentais não-VIP, todas clamando para entrar na sala VIP. Se os nomes deles não estiverem na lista, eles não entrarão! A tarefa do seu cérebro é abandonar rapidamente esses pensamentos e voltar a dar prioridade ao fluxo auditivo - a voz da pessoa que você está ouvindo.

Duas coisas importantes acontecem quando uma intenção é estabelecida. Seu cérebro está preparado para atender a qualquer sensação que possua propriedades de estímulo, de acordo com o *que você espera com base na intenção* (por exemplo, uma voz e o uso de seus ouvidos). Em segundo lugar, você é prontamente alertado quando "não escuta" surge, o que significa que você volta aos trilhos mais rapidamente.

Resumo

- ෨ Uma intenção é 'Um desejo profundo e sincero (que algo aconteça) sustentado por uma crença de que é possível.

- ෨ Intenções caem em três categorias principais:

    - o Intenções micro que podem mudar o seu dia

    - o Núcleo / intenções aninhadas que pode mudar sua vida

    - o Mega intenções que podem mudar o mundo.

- Metas e intenções geralmente são confusas, mas são muito diferentes. As metas falham em estimular a mente e o cérebro de maneira ideal, e tendem a ter menos impacto.

- A intenção ajuda você a gerenciar sua atenção, economizando energia e dando-lhe maiores opções na vida.

- Se você é claro sobre suas intenções e acredita, as possibilidades são ilimitadas.

Referências

1 Informações sobre Jean-Dominique Bauby podem ser encontradas na Wikipedia: https://en.wikipedia.org/wiki/Jean- Dominique_Bauby

2. Artigo sobre Shona McKenzie: https: //www.theguardian. com / lifeandstyle / 2000 / jul / 11 / healthandwellbeing. health1

Capítulo 2

Como a intenção afeta sua mente, cérebro e corpo

"Suas crenças se tornam seus pensamentos, seus pensamentos se tornam suas palavras, suas palavras se tornam suas ações, suas ações se tornam seus hábitos, seus hábitos se tornam seus valores, seus valores se tornam seu destino."

Mahatma Gandhi

Neste capítulo:

- ❧ *Como o abstrato se torna concreto e os pensamentos se tornam realidade*
- ❧ *A relação entre sua mente e cérebro*
- ❧ *Compreendendo o impacto da intenção em sua mente, cérebro e corpo*

Neste capítulo, compartilharei com você um pouco da crescente ciência por trás da intenção. A intenção direciona a atenção, e certamente existem evidências de que o treinamento da atenção (principalmente com atenção plena) altera regiões-chave do cérebro que apoiam a regulação da cognição e da emoção.

Também há trabalhos mostrando como as intenções "configuram" o cérebro para ajudá-lo a se conectar com o que ele pretende e a responder prontamente quando as coisas não estão planejando.

Você não precisa ser um neurocientista para entender este capítulo, mas vou apresentar algumas regiões-chave do cérebro. Esse conhecimento o ajudará a saber - pelo menos até certo ponto - o que você está fazendo com o cérebro quando começa a trabalhar com a intenção e por que, quanto mais você pratica, melhor fica.

À medida que você muda seu cérebro, começa a moldar sua vida de maneiras diferentes, mais positivas e saudáveis que o satisfazem.

Quando você define uma intenção, sua mente comanda seu cérebro, e seu cérebro comanda os membros do seu corpo para agir.

Conforme explicado no Capítulo 1, a intenção é um *desejo sincero profundo, sustentado por uma crença de que é possível,* ativando sua vontade e concentrando sua atenção. Isso, por sua vez, aproveita vários processos cognitivos que levam a ações que fazem as coisas acontecerem no mundo real. Dessa maneira, uma ideia abstrata ou um grande sonho se move da sua mente, para o seu cérebro, através do seu corpo e, finalmente, para o mundo.

O resumo se torna concreto. Os pensamentos se tornam realidade.

O modelo I-AM, explicado em mais detalhes no capítulo 3, divide os elementos que podem transformar um desejo em um evento do mundo real. Os estágios iniciais do processo envolvem a mente e o cérebro.

Na fala e na literatura comuns, os termos 'mente' e 'cérebro' são frequentemente usados de forma intercambiável, causando confusão. Não existe uma definição universalmente aceita de "mente". As próximas páginas o ajudarão a entender os principais debates práticos e filosóficos sobre a diferença entre a mente e o cérebro, além de esclarecer como eles funcionam juntos, além de definir as definições para os fins deste livro.

O debate mente versus cérebro

Como sua mente molda sua realidade, e a maneira como seu cérebro apoia seu corpo para agir no mundo e são tópicos que confundem pensadores ao longo da história da humanidade. Ainda hoje, com todos os estudos científicos e avanços da neurociência, ainda há confusão.

Como este é um livro prático, não tentarei revisar ou resolver esses problemas; no entanto, é importante para você - o leitor - entender minha posição em relação à questão mente-cérebro.

O que os cientistas concordam é que sua mente, sua experiência consciente do mundo ao seu redor (o meio ambiente) afeta seu cérebro. O que foi aprendido nas últimas décadas de pesquisa em neurociência é que o cérebro tem uma capacidade maior de se adaptar e se desenvolver na idade adulta do que se pensava anteriormente. A capacidade do cérebro de se adaptar e se desenvolver é chamada neuroplasticidade; mais sobre isso mais adiante neste capítulo.

Como resultado, seu cérebro está constantemente mudando e evoluindo. Para usar uma frase bem usada, você *pode* ensinar novos truques a um cachorro velho, boas notícias para todos nós!

Mente	Cérebro
Não físico	Hardware físico (ocupa espaço no seu crânio).
Transforma impulsos químicos / elétricos em experiências mentais (imagens ou pensamentos)	Transmite informações por impulsos químicos.
Usa as informações coletadas para permitir que você se conscientize do mundo e de suas experiências, pensamentos e sentimentos	Reúne informações por meio dos seus cinco sentidos, vinculando-as às informações existentes armazenadas em seu cérebro. Armazena e recupera informações.
Possui um sexto sentido - introspecção, (explorando o que você está pensando ou sentindo), que não está especificamente ligado a uma área do seu cérebro.	Possui cinco regiões distintas dedicadas ao processamento de informações recebidas de cada um dos seus cinco sentidos.
É capaz de viajar no tempo mental (lembrar as coisas que aconteceram no passado, planejar ou antecipar o seu futuro)	Só pode operar no momento presente
Mestre	Servo

interpreta e molda sua realidade através de pensamentos e sentimentos. Dirige seu cérebro (direciona pensamentos, palavras e ações voluntárias)	Recebe comandos de sua mente. É ativado ou envolvido por sua mente.

A mente - uma definição

Não existe uma única e universalmente definição aceita de 'mente'.

Segundo o dicionário de Oxford, a mente é "o elemento de uma pessoa que lhes permite estar ciente do mundo e de suas experiências, pensar e sentir; a faculdade da consciência e do pensamento".

Para os propósitos deste livro, a *mente* se refere à força criativa ilimitada que utiliza o cérebro para fazer as coisas acontecerem. Pense na linguagem comum da mente. Você pode dizer "mudei de ideia" ou "ainda não me decidi". Essas frases dão uma pista da natureza maleável e subjetiva da *mente*.

 Você pode literalmente ter qualquer coisa em mente - até coisas que não existem ou não são reais - como um cavalo com a cabeça de uma vaca ou patins em vez de cascos. Sua mente também tem uma incrível capacidade de viajar no tempo para o passado ou o futuro. Ele pode se lembrar de coisas que já aconteceram e simular ou imaginar cenários que ainda não aconteceram e podem ou não ocorrer. A mente não é limitada pelo tempo.

A mente ajuda o cérebro, permitindo consciência, percepção, pensamento, julgamento e memória.

O cérebro - uma definição

Seu cérebro é um órgão localizado dentro do crânio, que recebe, organiza e distribui informações. Pode ser pensado como 'hardware' ou para usar uma frase mais técnica, o "wetware" de sua experiência consciente.

Seu cérebro é composto de neurônios, glia, vasos sanguíneos, ventrículos cheios de líquido e outras estruturas que, ao trabalhar em harmonia, nos fornecem um corpo funcional e uma experiência de *estar consciente*. O cérebro é o centro de todas as funções e, **sem** o cérebro, é impossível sobreviver.

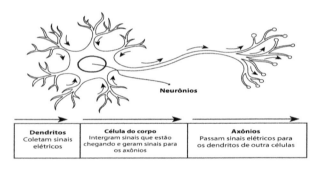

Figura 5: Como a informação flui através dos neurônios no seu cérebro

© 2020 Intentional Creations

Compreender algumas noções básicas sobre **como** o cérebro funciona ajudará você a entender e trabalhar com intenção. As próximas páginas fornecem uma visão geral executiva.

Hemisférios esquerdo e direito

O cérebro possui duas metades ou hemisférios, esquerdo e direito, que parecem ter algumas funções comuns e distintas. De um modo geral, o hemisfério esquerdo realiza funções que exigem categorização, um estreitamento do campo atencional, raciocínio concreto e muitas funções da linguagem.

No nível celular, o hemisfério esquerdo possui um pequeno número de tubos densamente conectados, com muitas conexões de longo alcance. Por outro lado, o hemisfério direito é um pouco mais confuso. Existem mais nós, menos densamente conectados e em distâncias mais curtas. Pensa-se que o hemisfério certo é mais sobre entender a essência das coisas. Está envolvido na compreensão de metáforas, no processamento de emoções e sensações corporais. Às vezes é chamado de lado criativo ou emocional do cérebro.

Os três sistemas cerebrais

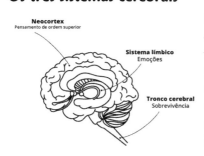

Pode ser útil pensar no cérebro como tendo três sistemas principais. Embora seja uma simplificação excessiva, ele fornece um modelo fácil de trabalhar.

Figura 6: Os três sistemas cerebrais © 20**20 Intentional Creations**

Essas três áreas do cérebro não funcionam isoladamente; elas trabalham juntas, uma área atuando como o condutor das outras áreas.

Na base do cérebro está o **'tronco cerebral'**- um conjunto de estruturas que cuida de suas funções básicas de sobrevivência, como respiração e digestão, pressão arterial e frequência cardíaca.

Acima disso, pode-se encontrar um conjunto de estruturas chamado **sistema límbico**, responsável por suas respostas emocionais, incluindo sua resposta de sobrevivência de luta ou fuga.

Tanto o tronco encefálico quanto o sistema límbico controlam seu comportamento no nível central e instintivo. Essas áreas do cérebro são muito rápidas, energeticamente eficientes e operam principalmente no nível inconsciente.

O **neocórtex,** considerado por alguns como a parte mais nova do cérebro, é muito mais flexível na maneira como processa informações e é orientado para a realização de tarefas, objetivos e intenções conscientes. Quando você precisa planejar, priorizar, tomar decisões ou apresentar novas ideias, envolve essa área do cérebro. Em comparação com o tronco cerebral e o sistema límbico, o neocórtex é lento e consome muita energia. Como resultado, em busca de eficiência, o cérebro frequentemente encontra maneiras de automatizar. Isso cria hábitos armazenados nas áreas inferiores do cérebro, liberando o neocórtex para tarefas que exigem pensamento, planejamento e criatividade.

Isso nem sempre é benéfico, pois as pessoas geralmente adotam padrões de pensamento e comportamento que não são mais relevantes ou úteis.

Neuroplasticidade

Ao contrário do pensamento popular, seu cérebro não é fixo e imutável quando você atinge a idade adulta; está constantemente sendo moldado pela experiência. A cada repetição de um pensamento ou emoção, você reforça um caminho neural e, a cada novo pensamento, começa a criar uma nova maneira de ser. Essas pequenas mudanças, repetidas com bastante frequência, levam a mudanças no funcionamento do seu cérebro.

Com o tempo, novas formas de pensar e se comportar se tornam automáticas, uma parte de você. Você literalmente se torna o que pensa.

A neuroplasticidade desempenha um papel importante no estabelecimento de intenções que fazem as coisas acontecerem no mundo real.

A neurociência da intenção

O trabalho de Elisabeth Pacherie conceituou dois níveis diferentes de intenção. Enquanto algumas intenções são "proximais" (perto no tempo), outras são distais (mais longe no tempo). As micro-intenções são proximais, enquanto as aninhadas, as centrais e as mega-intenções são distais. No momento em que você pretende que algo aconteça, o cérebro forma uma poderosa *representação motora* (RM).

A RM é o precursor mental da ação e normalmente é consciente. A RM inconsciente pode ser convertida em RM consciente, resultando em imagens motoras (IM). IM é um processo mental que permite ao cérebro ensaiar o que quer que aconteça. IM fornece a você uma consciência do que se destina e uma consciência da necessidade de seu corpo tomar medidas para que as coisas aconteçam. Para mais informações, leia o trabalho da pesquisadora de intenção Elisabeth Pacherie[1].

O ponto de partida para o Modelo de Ativação de Intenção (I-AM) descrito no Capítulo 3 é a mente encarregar o cérebro.

Enquanto muitos pensam que sua mente e cérebro guiam seu corpo, há evidências crescentes de que seu corpo tem um impacto considerável em seu cérebro e mente. Pesquisadores e médicos estão lentamente alcançando as ideias elaboradas ao longo de milênios no leste - que a mente e o corpo estão totalmente interconectados e constantemente impactando uns sobre os outros.

Seu coração contém cerca de 40 milhões de neurônios. O coração envia muito mais sinais para o seu cérebro do que o seu cérebro envia para seu coração. O coração está em constante diálogo bidirecional com o cérebro. Seu estado emocional altera os sinais que o cérebro envia ao coração, e o coração responde de maneiras complexas. Pesquisas mostram que as mensagens que o coração envia ao cérebro podem afetar profundamente seu desempenho.

Quando você está excitado ou sente trepidações, pode sentir uma sensação frequentemente descrita como 'borboletas no estômago'.

Essa sensação é desencadeada por uma rede de neurônios em seu intestino. Essa rede é tão extensa que os cientistas apelidaram de 'o pequeno cérebro'. Os neurônios no seu intestino fazem muito mais do que apenas lidar com a digestão.

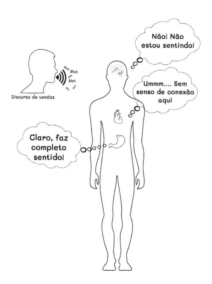

Figura 7: A mente: conexão corporal - © 2020 Intentional Creations

Em conjunto com o seu cérebro, os 100 milhões de neurônios do pequeno cérebro influenciam suas emoções e determinam seu estado mental.

Em vez de apenas ser um bando de membros arrastados por um cérebro ocupado, está ficando mais claro que o corpo tem um tipo de sabedoria diferente e mais inato. Aqueles que podem explorar tanto o cérebro pensante e o corpo sensível terão uma vantagem distinta. O ponto de partida de uma intenção é um desejo sincero e profundo. Entrar nas mensagens enviadas pelo corpo o ajudará a identificar as coisas que você realmente deseja, que podem ser muito diferentes daquilo que a sociedade e os colegas acham que você deveria desejar. Você encontrará mais sobre isso no Capítulo 10.

Resumo

- ❧ Para que uma intenção se concretize no mundo real, a mente deve encarregar o cérebro, tornando o abstrato concreto e transformando pensamentos em realidade.

- ❧ Enquanto o cérebro é físico, a mente não é. A mente age como um mestre, enquanto o cérebro atua como um servo humilde.

- ❧ O 'pequeno cérebro' está localizado no seu intestino. Isso influencia suas emoções e molda seu estado emocional.

- ❧ Para trabalhar efetivamente com a intenção, você precisa aproveitar a mente, o cérebro e o corpo.

- ❧ Intenções proximais e distais desencadeiam uma poderosa representação motora no cérebro, resultando em imagens mentais que começam a converter as intenções em realidade.

Referências

1. The content of intentions (2000) Elisabeth Pacherie

Capítulo 3

A ciência da ativação da intenção

"Nos últimos 400 anos, uma suposição não declarada da ciência é que a intenção humana não pode afetar o que chamamos de realidade física. Nossa pesquisa experimental da década passada mostra que, para o mundo de hoje e sob as condições certas, essa suposição não está mais correta".

- William A. Tiller, professor emérito da Universidade de Stanford[1]

Neste capítulo:

- 🙾 *Como a intenção funciona*
  - 🙾 *Pesquisa sobre a neurociência da intenção*
  - 🙾 *Pesquisa que vincula energia e intenção*
- 🙾 *Como a intenção é ativada*
  - 🙾 *Como sua mente encarrega seu cérebro*
  - 🙾 *Como o seu cérebro desencadeia processos cognitivos*

Um grande volume de pesquisas destaca o importante papel que a intenção desempenha na transformação de uma ideia, desejo ou desejo em realidade. Como isso acontece é objeto de muito debate.

Numerosos estudos de pesquisa e a maioria dos livros e trabalhos publicados com intenção até hoje são baseados em uma certa presunção; é que o ato de definir uma intenção desencadeia ou gera uma força de energia que faz as coisas acontecerem. Embora essa possa ser a explicação, neste livro, ofereço uma mais simples. Afirmo que as intenções transformam desejos sinceros em realidade como resultado de uma reação em cadeia na mente, cérebro e corpo.

Energia e intenção

Os métodos que descrevi neste livro para ajudá-lo a trabalhar com a intenção são baseados em explicações neurocientíficas de como a intenção funciona. Para completar, e para ajudá-lo a se tornar um leitor mais informado, nas próximas páginas, incluímos detalhes das evidências que vinculam energia e intenção.

O Experimento de Intenção

Em 'The Intention Experiment: Use Your Toughts to Change the World" (2007), a autora Lynne McTaggart usa pesquisas de ponta conduzidas em Princeton, MIT, Stanford[1] e outras universidades e laboratórios para revelar que a intenção é capaz de afetar todos os aspectos da vida. Ela apresenta pesquisas que sugerem que o pensamento gera sua própria energia palpável, que pode ser usada para o bem ou para o mal. McTaggart trabalhou para destilar a prática de pessoas como mestres de qigong, curandeiros e monges budistas, descobrindo que eles usam técnicas comuns, com muitas semelhanças.

Sua pesquisa revelou que pessoas realmente boas em manifestar coisas com seus pensamentos o fazem porque são capazes de usar o poder da intenção de uma maneira muito sofisticada.

Ela conclui que a coisa mais importante ao trabalhar com a intenção é primeiro limpar a mente através de um estado meditativo e, em seguida, alcançar um foco profundo e intenso. Fazer isso gera domínio da intenção, em oposição ao pensamento positivo. Centenas de estudos demonstram a eficácia da meditação da atenção plena como uma ferramenta para focar sua atenção. Você encontrará mais sobre isso no Capítulo 10.

O impacto da intenção na cura

Muitos acreditam que a intenção desempenha um papel importante na cura. Existem muitos estudos publicados sobre o impacto positivo da oração, a cura baseada em energia, como o Reiki, e a intenção ou crença dos médicos e de seus pacientes.

Isso inclui pesquisas robustas de Schmidt et al (2008) [2,3]. A pesquisa de Schmidt: 'Podemos ajudar apenas com boas intenções? Uma meta-análise de experimentos nos efeitos da intenção à distância' estudou a energia de cura enviada pelos curandeiros aos pacientes que não estavam no mesmo local que o curandeiro. A pesquisa concluiu que a intenção era comum a todos os métodos de cura estudados, e "o aspecto intencional [das diferentes formas de cura estudadas] é fundamental.

Manifestação moderna

Nos últimos anos, vários livros mais vendidos ofereceram orientações sobre como você pode desenvolver a capacidade de manifestar ou criar as coisas que deseja em sua vida. A intenção é um componente central da manifestação. Vários desses livros sugerem que a intenção explora a energia universal e / ou 'perguntando ao universo' você obterá os resultados que procura.

Em seu livro de 1997, *The Cosmic Ordering Service,* Bärbel Mohr propõe que você pode pedir o que quiser do cosmos. É baseado na presunção de que tudo está interconectado e existe algum tipo de consciência que mantém todo o mundo material unido. Os críticos descrevem isso como "um tipo de pensamento positivo" ou "estabelecimento de metas envolvidas em linguagem espiritual".

Mohr descreve o princípio subjacente da seguinte maneira: "Quando você pede ao cosmos, você se conecta adicionalmente ao que os outros chamam de 'teoria do campo unido' e aos outros 'campo morfogenético' ou 'Akasha Chronicle'. Supõe-se que basicamente tudo é um e que você é capaz de se conectar com o poder da totalidade". Este livro e seus inúmeros spin-offs são um best-seller há muitos anos, e muitas pessoas, incluindo a celebridade da TV Noel Edmunds, testemunham que isso mudou suas vidas.

O livro de Rhonda Byrne, *The Secret* (2006) e a sequência *The Power* (2010) também se baseiam na lei da atração. É baseado na sabedoria antiga de que "igual atrai igual".

Se seus pensamentos são ricos, antes que você perceba, você receberá riqueza. Alguns descrevem *The Secret* como uma forma de higiene mental. "É importante o que você está pensando, porque pensamentos são coisas. Portanto, mudar seus pensamentos é mudar as coisas como elas são no mundo. "

Os críticos dizem que é simplesmente pensamento positivo, reembalado ou uma "versão pop psíquica do TCC (terapia cognitivo-comportamental). Como o *The Cosmic Ordering Service*, o *Segredo* é um best-seller há muitos anos e tem muitos devotos e defensores.

Atualmente, existem muitos livros publicados sobre a lei da atração e manifestação. O problema é que alguns desses livros baseados em pseudociências exigem que o leitor tenha fé e crença cegas no processo sem explicar como ou por que funciona. Ter uma forte crença no resultado que você deseja certamente aumenta as chances de você se conectar com oportunidades que podem ser úteis, mas não é uma garantia.

Ao escrever este livro, esforcei-me por pesquisar a base de evidências da intenção de uma perspectiva baseada no cérebro para fornecer ao leitor uma abordagem informada por evidências para trabalhar com a intenção que é prática, fácil de entender e aplicar. Em nenhum momento deste livro peço que aplique fé cega ou confie em uma força superior para cumprir sua intenção.

Se pedir a Deus ou a um ser superior ou força de energia ajuda você a trabalhar com intenção, fique à vontade para fazê-lo. O modelo de ativação da intenção não requer fé cega ou crença em um deus ou no poder do cosmos, como você descobrirá nas próximas páginas.

Intention Activation Model (I-AM) - Modelo de Ativação de Intenção

O Modelo de Ativação de Intenção (I-AM) descreve, em termos simples, como sua **mente** encarrega seu **cérebro** que guia seu **corpo** a tomar **medidas que** levando a **coisas acontecerem** no mundo real.

As próximas páginas explicam isso ainda mais detalhando cada elemento do I-AM.

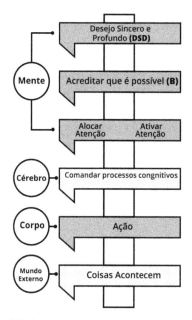

Figura 8: Modelo de Ativação da Intenção (I-AM) © 2020 Intentional Creations

Como sua mente comanda seu cérebro

O I-AM divide os ingredientes da intenção, que, quando combinados na ordem certa, levam o desejo a se tornar realidade. Ele descreve como a mente encarrega o cérebro, que guia o corpo, levando a decisões e ações que fazem as coisas acontecerem no mundo real.

No capítulo 2, descrevi a diferença entre a mente e o cérebro. Enquanto o cérebro é físico, a mente não é. A mente pode ser comparada ao mestre, enquanto o cérebro segue as instruções.

A mente é uma força criativa ilimitada que utiliza o cérebro para fazer as coisas acontecerem.

O ponto de partida do modelo I-AM é a mente registrando um desejo genuíno e sincero de fazer algo acontecer, que - quando combinado com a crença de que é possível - ativa sua vontade e concentra a atenção na tarefa. Muitas intenções fracassam porque as pessoas desejam coisas que na verdade não querem ou não acreditam que sejam possíveis.

A intenção começa com um desejo sincero e profundo

O ponto de partida para trabalhar com a intenção é o desejo de que algo aconteça. Nesse modelo I-AM, isso é chamado de "desejo sincero e profundo," ou "DSD".

Há uma grande diferença entre os desejos cotidianos e os DSDs. Um exemplo de um desejo cotidiano pode ser "eu quero aquele casaco" ou "eu quero esse carro esportivo" ou "eu gostaria de fazer o trabalho dela (ou dele)". Você pode querer momentaneamente comprar esse casaco, sapatos, terno ou vestido, mas você realmente os quer, ou é uma fantasia passageira? O mesmo poderia ser dito do carro ou do trabalho; você realmente quer ter o carro ou fazer esse trabalho todos os dias no futuro próximo? É *você* quem quer, ou é a pressão social ou cultural que faz você *pensar que quer*?

Por outro lado, um DSD é algo que você realmente deseja. Um desejo profundo e sincero (DSD) é o maior motivo. Por que você está nesse trabalho? Por que você fica até a madrugada fazendo essa pesquisa? Por que você gasta seu tempo livre fazendo campanha ou sendo voluntário? Por que é importante que você cuide de seus filhos de uma certa maneira?

Se você eliminar a pressão de colegas ou familiares, as normas sociais e as expectativas culturais, seus DSDs são as coisas que VOCÊ realmente deseja em um nível sincero. As técnicas para ajudá-lo a identificar e refinar seus DSDs são discutidas mais profundamente nos Capítulos 5-9.

O poder da crença

Depois de identificar seus DSDs, você precisa verificar se suas crenças suportam seus DSDs. Se você tem um DSD desalinhado com suas crenças, é improvável que atinja sua intenção. Da mesma forma, se você tem um DSD, mas inconscientemente acha que é inatingível, é improvável que isso aconteça.

Suas crenças influenciam essencialmente noventa e cinco por cento das decisões que você toma e das ações que toma. Elas formam as bases do seu autoconceito, determinando como você se vê em relação ao mundo ao seu redor. Os rótulos que você atribui a si mesmo, as limitações que você impõe e as expectativas que você tem de si são todos construídos sobre seus sistemas de crenças. Se seus sistemas de crenças não estiverem alinhados com suas intenções ou objetivos impostos, você se sentirá preso, insatisfeito e infeliz. No capítulo 11, você encontrará técnicas para ajudá-lo a surgir e trabalhar com suas crenças.

Ativando sua vontade e alocando sua atenção

Depois de identificar seus DSDs e sentir-se confiante de que suas crenças apóiam a realização de suas intenções, sua mente começa a funcionar. Isso ativa sua vontade e aloca sua atenção, desencadeando uma série de processos cognitivos complexos em seu cérebro.

Como seu cérebro desencadeia processos cognitivos

As intenções que começam em sua mente ativam sua vontade e concentram sua atenção. Para que essa intenção e vontade sejam expressas no mundo, você precisa aproveitar vários processos cognitivos e envolver o cérebro e o corpo para que as coisas aconteçam no mundo.

A maioria dos seus processos cognitivos ocorre no nível subconsciente. Você pode apoiar conscientemente o seu subconsciente, realizando ações simples que ajudam a conectar as alterações necessárias em seu cérebro e fazer as mudanças necessárias na vida para ajudar sua intenção a tomar forma, crescer e florescer.

O papel da sua mente consciente e inconsciente na ativação da intenção

Sua mente consciente é como o maestro de uma orquestra dando ordens. A orquestra - o subconsciente e o inconsciente mais profundo - realiza as ordens. O maestro pode estar no comando da orquestra, mas a orquestra toca a música.

A mente consciente se comunica com o mundo exterior e o eu interior através da fala, imagens, escrita, movimento físico e pensamento. A mente subconsciente é responsável por suas memórias recentes e em contato contínuo com os recursos da mente inconsciente.

A mente inconsciente é o depósito de todas as memórias e experiências passadas. Essas memórias e experiências moldam suas crenças, hábitos e comportamentos. O inconsciente se comunica constantemente com a mente consciente através do seu subconsciente. Ele ajuda a fazer sentido e tirar conclusões sobre suas interações com o mundo.

A grande maioria de todas as atividades cerebrais ocorre no nível subconsciente. Os processos cognitivos que sustentam a conquista do modelo I-AM são em grande parte inconscientes. Os principais processos cognitivos que sustentam a conquista da intenção incluem:

- Atenção
- Rede de modo padrão
- Memória de trabalho
- Regulação da emoção
- Circuitos de recompensa
- Formação de hábitos

Nas próximas páginas, você encontrará uma breve visão geral de cada uma das opções acima, mas primeiro é importante entender um pouco sobre a atividade consciente e subconsciente da mente.

Atenção

A rede de atenção do seu cérebro é capaz de mudar e se desenvolver muito mais do que se pensava inicialmente. Sua rede de atenção consiste em um grupo de regiões cerebrais que abrangem os lobos frontal e parietal (costas e laterais).

A rede de atenção permite que você mova e desvie sua atenção, mude a abertura de sua lente atencional, esteja ciente quando a atenção for "capturada" e tome decisões sobre como e onde focar a atenção quando encontrar um conflito. Quando sua rede de atenção experimenta algo inesperado, novo ou perigoso, seu cingulado anterior (uma parte crítica da rede de atenção localizada no lobo frontal) entra em ação. Ele direciona mais atenção ao que está acontecendo, para que você possa resolver o problema.

O papel da sua rede de modo padrão

O termo "modo padrão" é usado pelos neurocientistas para descrever a atividade cerebral quando não há cenas visuais a serem observadas ou tarefas mentais em andamento. A rede de modo padrão é um grupo interconectado de estruturas cerebrais, incluindo o córtex pré-frontal medial, o córtex cingulado posterior e o lóbulo parietal inferior, o córtex temporal lateral e o hipocampo.

O grupo de rede do modo padrão das regiões do cérebro mostrará níveis mais altos de atividade quando sua mente não estiver envolvida em pensamentos específicos e direcionados. É durante esse período que sua mente pode estar vagando - sonhando acordada, recordando memórias, visualizando a realização futura de suas intenções, monitorando o ambiente e assim por diante. Esses momentos de divagações podem resultar em momentos "eureka", como novas ideias, novas perspectivas e pensamento temático em torno de sua intenção, tudo contribuindo para a realização de suas intenções.

Memória de trabalho

A memória de trabalho é um sistema cognitivo responsável por manter temporariamente as informações disponíveis para processamento. Desempenha um papel importante no raciocínio, na tomada de decisões e no comportamento. Alguns neurocientistas acreditam que a memória operacional permite que você trabalhe com as informações armazenadas em seu cérebro. Sua memória de trabalho permite que você mantenha as informações "em mente" por um período de tempo.

Você usa sua memória de trabalho para praticamente tudo o que faz. Ela permite que você tenha um "ambiente de trabalho" em mente de suas intenções, bem como os subcomponentes necessários para permitir que suas intenções sejam atendidas. Qualquer tarefa que exija que você exponha suas intenções e memórias e as mantenha "online" à medida que cria planos e tarefas para atingir seus objetivos, está usando a memória de trabalho.

Sua memória de trabalho é necessária para ajudá-lo a ter em mente a imagem maior e os objetivos de trabalho. Suas intenções, uma vez definidas, funcionam em segundo plano, para identificar e sintonizar oportunidades que "correspondam" às intenções. Além disso, sua memória de trabalho responde prontamente a quaisquer experiências incompatíveis que o desviam dos trilhos e se afastam das intenções desejadas. Isso ajuda você a fortalecer essa rede e torná-la mais eficiente.

Sua memória de trabalho é comprometida quando você fica estressado. Sob pressão, sua alocação de atenção pode receber demandas conflitantes. Você pode se esforçar para ter em mente tudo o que precisa e começar a esquecer as coisas. O treinamento da atenção plena pode ajudá-lo a gerenciar suas emoções e reduzir o impacto do estresse na memória de trabalho. Mais sobre isso no capítulo 10.

Regulação da emoção

Seu estado emocional pode ter um enorme impacto em sua cognição. Muitas pessoas se orgulham de sua capacidade de negar, reprimir e evitar demonstrações externas de emoções. Pesquisas sugerem que essas estratégias podem não ser tão úteis quanto se pensava.

É impossível tomar decisões na ausência de emoções. Negar sua experiência emocional pode ter consequências negativas para sua saúde mental e física (4). A supressão emocional pode significar que você perde o acesso a um vasto "lago de dados" de informações que o ajuda a tomar decisões ainda mais hábeis e sábias.

A intenção de atender às emoções, imediatamente vira a mesa sobre sua reação muitas vezes automática para evitar emoções negativas. Ao evitar, você entrega sua vontade à emoção. Sua aparência está direcionando sua mente, energia e ações.

Sistema de recompensa e dopamina

O sistema de recompensa refere-se a um grupo de estruturas ativadas sempre que você experimenta algo gratificante, como comer chocolate, ser elogiado ou alcançar um objetivo. O sistema de recompensa do cérebro está conectado às áreas do cérebro que controlam seu comportamento e memória. Quando algo recompensador é encontrado, os neurônios liberam dopamina para fazer você sentir prazer. Áreas das áreas do cérebro afetadas pelo prazer incluem sua amígdala e núcleo accumbens. Prazer e recompensa aumentarão o impulso em direção à sua intenção desejada.

Formação de hábitos

A formação de hábitos é o processo pelo qual novos comportamentos se tornam automáticos. Os padrões comportamentais que você repete com mais frequência são gravados em suas vias neurais e armazenados em uma área do seu cérebro chamada de gânglios da base. Os gânglios da base são um grupo de núcleos subcorticais situados na base do cérebro anterior, e estes estão fortemente interconectados com o córtex cerebral, tálamo e tronco cerebral, além de várias outras áreas do cérebro.

Para formar um hábito, você precisa de três coisas: uma pista de contexto, repetição comportamental (**rotina**) e a **recompensa**[5]. Vamos dar uma olhada no hábito de tirar os sapatos ao entrar na casa. Seu contexto pode ser chegar em casa, enquanto sua sugestão pode ser abrir a porta da frente. Seu comportamento seria se abaixar, tirar os sapatos e colocá-los na sapateira. Sua recompensa pode ser manter a casa limpa ou fazer seu parceiro feliz.

Os hábitos podem inicialmente ser desencadeados por um objetivo, mas, com o tempo, esse objetivo se torna menos necessário e o hábito, mais automático. O desenvolvimento de hábitos úteis conectados às suas intenções o ajudará a alcançar sua intenção.

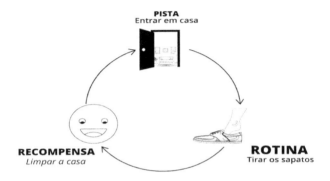

Figura 9: Como os hábitos são formados © 2020 Intentional Creations

Usando seu corpo para tomar uma ação

Na etapa final, você toma uma atitude - passiva ou ativamente. Ao tomar uma ação, é importante monitorar e gerenciar a si mesmo para garantir que você evite se colocar sob pressão excessiva [tentando demais!], Pois isso impedirá que você atinja sua intenção.

Como acabei de mencionar, ao tomar uma atitude, o monitoramento e o gerenciamento de si mesmo são críticos. Transformar uma intenção em realidade pode levar tempo, e ficar desesperado ou esforçar-se ativará os circuitos cerebrais primitivos projetados para mantê-lo protegido contra danos. Isso reduz sua capacidade de ser criativo e percebe quando surgem oportunidades que podem ajudá-lo a alcançar suas intenções.

Perceber e aproveitar as oportunidades que surgirem o levará a tomar medidas - como e quando for a hora certa. Quando surgirem oportunidades, pegue-as, não fique obcecado ou se preocupe com elas; há uma probabilidade muito maior de que sua decisão esteja certa do que errada.

No capítulo 9, você encontrará técnicas para ajudá-lo a se tornar mais vigilante, procurando oportunidades que surjam para ajudá-lo a atingir sua intenção.

Transformando suas intenções em realidade

Como resultado de ações, as coisas começarão a acontecer para você no 'mundo real'. É importante observar e celebrar conscientemente todas as pequenas vitórias que você tem no caminho para alcançar suas intenções.

Embora a análise excessiva e o excesso de pensamento devam ser evitados, é importante ter a sensação de que as coisas estão se movendo na direção certa, mesmo que algumas das peças do quebra-cabeça ainda estejam faltando.

Se você está convencido de que está seguindo na direção errada, use-a como uma oportunidade de aprendizado. Também vale a pena revisar a intenção que você definiu e verificar se ainda é adequado para você ou se precisa de alterações. Às vezes, ao agir e fazer as coisas acontecerem, você percebe o que *não quer*, ajudando-o a ficar mais claro sobre o que *deseja*.

Resumo

Quando você define uma intenção, sua mente executa tarefas no cérebro, o que desencadeia processos cognitivos, ajudando-o a alcançar sua intenção. Esses processos incluem dedicar recursos atencionais à tarefa em questão, utilizar sua memória de trabalho, sintonizar suas respostas emocionais, formar hábitos úteis, acender seu circuito de recompensa (para que você tenha uma sensação de prazer e realização quando as coisas começam a acontecer) e formando hábitos novos e úteis que o ajudam a tornar sua intenção realidade.

Um grande volume de pesquisas destaca o importante papel que a intenção desempenha na transformação de uma ideia, desejo ou desejo em realidade.

Há duas escolas principais de pensamento sobre como intenção transforma seus desejos ou desejos em realidade:

Intenções tomam forma como resultado de explorar uma fonte de energia universal ou criar energia.

Intenções tomam forma como resultado de sua mente encarregar seu cérebro e corpo. Esta é a área em que este livro se concentra.

O modelo I-AM descreve como um desejo profundo e sincero, associado à crença de que é possível, ativa a vontade e aloca atenção à tarefa de alcançar a intenção. Isso, por sua vez, desencadeia vários processos cognitivos no cérebro, guiando seu corpo a tomar medidas que levam as intenções a se tornarem realidade.

Referências

1. William A. Tiller, Professor Emeritus, Stanford University. Quoted in McTaggart, Lynne. The Intention Experiment: Use Your Thoughts to Change the World. Harper Element, 2007.

2. Cloninger, CR. (2007) Spirituality and the Science of Feeling Good. Southern Medical Journal.

3. Schmidt, SJ. (2012) Can we help just by good intentions? A meta- analysis of experiments on distant intention effects. Journal of alternative and complementary medicine (New York, N.Y.) 18(6):529-33·

4. Mauss IB, Gross JJ. Emotion suppression and cardiovascular disease: Is hiding feelings bad for your heart? In: Nyklicek I, Temoshok L, Vingerhoets A, editors. Emotional expression and health: Advances in theory, assessment and clinical applications. New York: Brunner-Routledge; 2004. pp. 61–81

5. Wood, W., & Neal, D. T. (2016). Healthy through habit: Interventions for initiating & maintaining health behavior change. Behavioral Science & Policy.

Parte II

Trabalhando com intenção

Capítulo 4

Mudando o seu dia com intenções

"A cada momento de nossas vidas, estamos cercados por uma abundância de possibilidades e temos acesso a uma infinidade de opções."

- Juliet Adams

Neste capítulo:

- ✍ *Como definir uma intenção que muda o seu dia*

- ✍ *Como definir uma intenção de mudança de momento com impacto real*

- ✍ *Ferramentas e técnicas para ajudá-lo a começar a trabalhar com intenções*

Intenção é uma coisa muito poderosa, subjacente a todas as suas ações. Você costuma usá-la em um nível inconsciente instintivo. Quando decidi escrever este livro, meu foco inicial era o uso da intenção de mudar sua vida. No meio da escrita do livro, no entanto, percebi que estava perdendo algo fundamental.

As intenções nem sempre precisam mudar a vida. Precisam? É igualmente importante ter intenções que mudam de momento ou que mudam de dia. Eu as descrevo como 'micro intenções'. Este título pode ser um pouco enganador. Em comparação com uma mega intenção ou intenção central (consulte o Capítulo 1), uma intenção de mudança de dia ou de momento pode parecer pequena em tamanho, mas seu impacto pode ser enorme.

Intenções não têm limites. Eles são expansivas e transformadoras ou muito menores em escala. Você pode definir uma intenção para o mundo, sua vida, todos os dias ou por um breve momento. Definir intenções pode torná-lo mais eficaz e abrir seus olhos para coisas que você pode ter perdido.

Definindo uma intenção para o seu dia

Quando você define uma intenção para o dia, insere tudo o que acontece naquele dia com uma nova mentalidade - mesmo se estivesse apenas entrando no trabalho, preso no trânsito, tomando café ou trabalhando. Como exemplo, digamos que você tenha a intenção de se alimentar naquele dia. Seu amigo Joe convida você para um clube para tomar uma bebida e dançar depois do trabalho. Seu diálogo interno pode ser:

"Se eu disser que sim e sair para tomar uma bebida, isso me fará sentir nutrida?"

"Quando fui tomar uma bebida com Joe da última vez, acabei de ressaca no dia seguinte. Eu quero me sentir assim amanhã de manhã? Vou acabar comendo frango e batatas fritas e estragar minha dieta."

"Talvez sair para tomar uma bebida não me faça sentir nutrida "

"Existe outra maneira de passar um tempo com Joe que seja mais nutritivo?"

"Acho que vou optar por dizer educadamente não às boates esta noite e encontrar um horário no final da semana em que possamos tomar um chá e dar um passeio agradável à tarde. "

Sua intenção se tornou seu sistema GPS interno, permitindo que você para tomar decisões com poderes alinhadas à sua intenção.

Definindo uma intenção instantânea

A definição de uma intenção ou micro instantânea pode mudar sua experiência com muitas coisas que você encontra diariamente. Você pode definir uma intenção instantânea para o seu trajeto diário, para uma reunião normalmente chata ou improdutiva, para um encontro com um amigo ou colega de trabalho ou para passar um tempo com um ente querido. A lista é interminável, as possibilidades são ilimitadas.

Estudos de caso

Muitas pessoas que estabelecem micro intenções pela primeira vez ficam surpresas com seu impacto.

A reunião

Tom participa de uma reunião de departamento na última sexta-feira de cada mês, das 10 ao meio dia. Ele regularmente corre demais, cortando sua pausa para o almoço curto. Nas reuniões anteriores, Tom se sentia entediado e frustrado e odiava quando as pessoas conversavam entre si, não ouviam e agiam com interesse político. A reunião era presidida por um chefe de departamento diferente a cada mês, com o objetivo de distribuir a carga de trabalho de maneira justa. Este mês foi a vez de Tom ser presidente.

Tom estabeleceu a intenção de que desta vez seria diferente. Ele estabeleceu a intenção de que todos tivessem a chance de serem ouvidos, ninguém falasse sobre mais ninguém e a reunião terminaria na hora.

Com essa intenção carregada em seu GPS interno, ele decidiu iniciar a reunião de maneira diferente, resumindo o objetivo da reunião e obtendo um acordo sobre o que eles desejavam alcançar coletivamente nas próximas duas horas. Ele então alocou todos no mesmo tempo para apresentar suas ideias. Ninguém foi autorizado a interromper enquanto eles estavam apresentando. Ele então deu a todos um minuto para responder ao que havia sido apresentado, um de cada vez. Ele resumiu o feedback, uma ação foi acordada e a reunião passou para o próximo apresentador. Tom ficou surpreso quando a reunião terminou às 11h40.

Se Tom não tivesse definido essa intenção, as chances são de que ele teria entrado na reunião com uma mentalidade de que era impossível e uma perda de tempo, e simplesmente cerrou os dentes e lutou contra o caminho. Ao estabelecer uma intenção, ele sinceramente desejava e acreditando que era possível para a reunião, transformou seus pensamentos sobre a reunião, preparando processos e ações cognitivas que mudaram fundamentalmente a experiência da reunião para todos os participantes.

O filho adolescente

Ginny era uma mãe ocupada com dois adolescentes. Seu filho mais velho estava se comportando como o personagem da TV da BBC 'Kevin the teenager'. Ele era flexível, não comunicativo e tudo era "tão injusto"! Isso, associado à sua vida agitada, tornava as conversas difíceis e desagradáveis; portanto, naquele momento, mãe e filho se entreolharam.

Às cinco da tarde, quando Ginny estava prestes a deixar o trabalho, ela recebeu uma ligação do líder da juventude de seu filho para dizer que ele havia desaparecido do clube depois da escola, eles não sabiam onde ele estava e estavam preocupados com o fato de ele estar envolvido em uma gangue. Ginny tentou ligar para o filho, mas ele continuou indo para o correio de voz. Ela entrou em pânico, temendo a conversa quando ele chegou em casa.

Voltando para casa, ela teve visões dele saindo da escola, se envolvendo com drogas e sendo esfaqueado em uma guerra de gangues. Eventualmente, ela percebeu que simplesmente não sabia e estava apenas terminando com essas histórias carregadas de destruição. Ela estabeleceu a intenção de deixar de lado seus pensamentos e preocupações e realmente ouvi-lo com a mente aberta.

Quando ela chegou em casa, seu filho estava sentado na sala de estar com seu melhor amigo Simeon - um garoto legal - jogando vídeo game. Ela pediu que Simeon se juntasse a eles para comer alguma coisa. Depois de comer, quando Simeon partiu, Ginny falou com o filho. Ela disse que tinha sido chamado pelo clube depois da escola e perguntou o que havia acontecido. Ele disse: "O clube era chato, então eu decidi voltar para casa com Simeon para poder esmagá-lo jogando Spiderman II".

Ela calmamente o perguntou por que ele não havia dito a ninguém que estava saindo. Ele respondeu que havia tentado, mas os líderes da juventude estavam fazendo outras coisas e eles foram instruídos a esperar, e ele se cansou de esperar e pegou um ônibus com Simeon direto para casa, para evitar andar pelas redondezas e se envolver com a política de gangues.

Nesse estudo de caso, teria sido fácil para a conversa se transformar em uma briga, alcançando pouca coisa e provavelmente piorando a situação. A intenção de Ginny a levou a um resultado mais útil.

Cultivar o bem

Sonia estava lendo o excelente livro de Rick Hanson, "Hardwiring Happiness". Ela reconheceu o viés da negatividade humana significava que ela (como a maioria dos humanos) tendia a prestar muita atenção às coisas ruins da vida e muito pouco às coisas agradáveis que passavam despercebidas.

Seguindo o conselho de Rick, ela decidiu estabelecer uma intenção para o dia perceber quando coisas boas aconteciam; e deliberadamente fazer uma pausa por alguns minutos para que ela possa absorver os bons sentimentos. Dessa maneira, ela reconheceria conscientemente que algo de bom havia acontecido. Ela reconheceu que essa pequena ação iniciaria o processo de felicidade contagiante em seu cérebro.

Sua intenção a levou a notar um belo nascer do sol quando ela saiu de casa. Ela notou a facilidade com que seu carro arrancou e que o carro a mantinha quente e seca, apesar da chuva forte lá fora. Ela agradeceu por encontrar rapidamente um espaço de estacionamento perto do escritório. Ela notou e apreciou o sorriso no belo rosto do jovem quando ele abriu a porta para ela quando ela entrou no escritório carregada de malas e pastas.

Ela fez uma pausa para apreciar a primeira xícara de chá, recém-preparada, fumegando sobre a mesa. O dia continuou dessa maneira. Durante esse dia, ela também teve uma negociação difícil com um cliente difícil e estabeleceu um prazo desafiador para um projeto complexo em que estava trabalhando. Ela também teve um trajeto lento para casa devido a um acidente pela frente. Ao passar pelo acidente, agradeceu que não era ela e a ambulância estava à disposição para ajudar o motorista ferido.

O dia de Sonia teve seus desafios, mas para sua surpresa, sua intenção para o dia transformou poderosamente sua experiência para melhor.

Uma viagem à IKEA

Mary-Jane contratou Hank para montar uma nova cozinha, e uma viagem à IKEA foi planejada. Mary-Jane odiava a IKEA - a multidão, a enormidade do armazém, as almôndegas na cantina, sem mencionar as filas no estacionamento. Mary-Jane estava com medo. Hank, por outro lado, viu isso como um dia divertido e estabeleceu a intenção de se divertir o máximo possível e um ótimo dia de folga (ele não saía com frequência!).

Ao chegarem à IKEA, estacionaram com facilidade, para surpresa de Mary-Jane. Mary-Jane estava em uma missão de entrar e sair rapidamente, querendo confirmar rapidamente as opções de sua unidade de cozinha, escolher acessórios e finalizar o plano para que a cozinha pudesse ser encomendada. Hank, por outro lado, tinha ideias diferentes. Ele queria um café antes de embarcar na experiência da IKEA, com tanta má vontade que Mary-Jane o seguiu até a cantina e comprou um café para ele, que também se estendeu a um bolo. Mary-Jane ficou maravilhada com a alegria de Hank em tomar uma xícara de café em uma caneca da IKEA com vista para as idas e vindas no estacionamento da IKEA.

Saindo da cantina, ela começou a andar a passos largos pelo showroom, indo para a área das cozinhas - mais ou menos na metade do caminho, seguindo a rota IKEA prescrita. Ela rapidamente percebeu que Hank estava atrasado olhando tudo em detalhes. Ele olhou para o design, a cor, a utilidade e os usos ocultos das mercadorias expostas com curiosidade e alegria infantis. Ela diminuiu o passo para observá-lo. Ele brincou com interruptores de luz, abriu e fechou caixas e observou a dinâmica humana em jogo. Eventualmente, ela começou a se divertir, brincando com os controles remotos de iluminação quando chegou aos showrooms da cozinha, e sorrindo interiormente quando fez outros clientes pularem quando as luzes nos armários de repente diminuíram ou iluminaram sua abordagem.

O planejamento da cozinha foi concluído, as unidades foram finalizadas e encomendadas. Hank anunciou que estava na hora do almoço e escolheu um prato grande de almôndegas em molho de creme com geleia de mirtilo e purê. Mary-Jane escolheu uma salada de salmão. Depois de comer, eles caminharam lentamente pela área do Market Hall, e Mary-Jane selecionou algumas novas panelas e organizadores de gavetas. Hank se serviu de algumas toalhas de chá novas.

Chegando ao carro às 15h, Mary-Jane ficou maravilhada com o fato de ter passado cinco horas na IKEA e realmente ter tido um dia divertido. A intenção de Hank não apenas transformou seu dia, mas também Mary-Jane. Hank é o assunto de um estudo de caso, cujo esboço você encontrará no Capítulo 5.

Técnicas para ajudá-lo a identificar micro intenções

Antes de trabalhar no núcleo de mudança de vida ou até nas mega intenções, é melhor começar com algumas micro intenções que pode ser de curto prazo ou instantâneo.

Trabalhar com micro intenções tende a ser mais simples que as principais ou mega intenções, mas os princípios são os mesmos.

Maneiras de identificar intenções que mudam o dia

Como lembrete, uma intenção é "um desejo sincero e profundo, sustentado por uma crença de que é possível". Separe como, quando, e detalhadamente, focando apenas no que você realmente deseja. Aqui estão algumas ideias para você começar. Faça a si mesmo uma ou mais das seguintes perguntas:

- ❧ O que eu realmente quero hoje?
- ❧ Do que eu mais preciso hoje?
- ❧ O que eu mais desejo hoje?
- ❧ Que coisa eu quero mudar hoje?
- ❧ Que atitude eu quero adotar hoje?
- ❧ O que eu realmente gostaria de notar hoje?
- ❧ Como posso cuidar melhor de mim hoje?
- ❧ Como posso ser o melhor que posso ser hoje?

Use as respostas obtidas como base para sua intenção para o dia.

Maneiras de identificar intenções instantâneas

Escolha algo que você gostaria de mudar ou que gostaria de ser diferente.

Se você está tendo um dia agitado e sua cabeça está em um turbilhão, a atenção plena pode ajudá-lo a se acalmar e a se acalmar. Quando estiver ocupado, mas desejando estabelecer uma intenção, gaste um pouco de tempo concentrando sua atenção. Você pode se concentrar nas sensações físicas da respiração, em como seus pés se sentem em contato com o chão ou na sonoridade, suavidade e qualidade de um som específico. Se sua mente divagar, traga-a com cuidado. Faça isso por pelo menos um minuto, mais tempo, se puder, e faça a si mesmo uma ou mais das seguintes perguntas:

- Como eu gostaria que as próximas duas horas fossem?

- Como eu gostaria que a reunião fosse?

- Como eu gostaria de estar nessa conversa?

- Como eu gostaria de me sentir nesta manhã / tarde / noite?

- Quão corajoso ou corajoso eu quero ser?

- O que eu gostaria que os outros tirassem disso?

- Como posso fazer a diferença agora?

Use as respostas para ajudá-lo a formar uma intenção instantânea.

Resumo

- Intenções não têm limites. Elas são amplas e transformadoras ou muito menores em escala.

- ❧ Você pode definir a intenção de mudar o mundo, sua vida, todos os dias ou um breve momento.

- ❧ Definir intenções pode torná-lo mais eficaz, abrindo os olhos para coisas que de outra forma você poderia ter perdido.

- ❧ Você pode definir uma intenção a qualquer momento para alterar a trajetória do seu dia.

- ❧ As micro intenções incluem tanto as 'intenções de mudança do dia' quanto as intenções 'instantâneas' (mudança de momento).

- ❧ As micro intenções podem levar a resultados rápidos, tornando-os um ótimo lugar para começar quando se trabalha com intenções em si.

Recursos adicionais e estudos de caso que suportam este capítulo estão disponíveis no meu site: www.intention-matters. com

Capítulo 5

Apresentando a estrutura do IDEA

"Tenha a coragem de seguir seu coração e intuição. De alguma forma, eles sabem o que você realmente quer se tornar."

- Steve Jobs: magnata dos negócios, co-fundador da Apple

Neste capítulo:

- ❧ *Avaliando sua prontidão*

- ❧ *Uma visão geral de quatro etapas simples para ajudá-lo a aproveitar o poder da intenção*

- ❧ *Identificando e testando suas crenças*

- ❧ *Estudos de caso de intenção*

No Capítulo 3, você obteve uma visão geral da ciência que sustenta a intenção e as diferentes teorias sobre como e por que a intenção funciona. O modelo I-AM forneceu uma explicação baseada em neurociência de como a intenção começa na mente, que encarrega o cérebro, levando a uma série de processos cognitivos que o guiam a tomar ações que tornam sua intenção uma realidade.

No capítulo 4, você descobriu como usar a intenção proximal para transformar seu dia.

Neste capítulo, apresento a estrutura da IDEA, fornecendo quatro etapas para ajudá-lo a começar a trabalhar com mega-intenções audaciosas aninhadas, essenciais ou até cabeludas. Os capítulos restantes da Parte Dois fornecem informações e técnicas detalhadas para ajudá-lo a trabalhar com intenções distais.

Seja qual for sua intenção, as quatro etapas do modelo IDEA ajudarão você a identificar, refinar e incorporar suas intenções de transformar seus pensamentos em eventos do mundo real, mas primeiro uma palavra sobre rituais...

O papel das cerimônias e rituais

Cerimônias e rituais formam um elemento central das celebrações de aniversário, casamentos e funerais. Existem rituais de Natal, rituais de bebida e rituais de trabalho. Quem pratica magia realiza rituais para concentrar sua intenção de fazer alguma coisa acontecer. Aqueles que trabalham como curadores de energia usam símbolos e rituais para focalizar a intenção, a fim de enviar energia de cura para outras pessoas.

Os eventos esportivos geralmente começam com o ritual de tocar ou cantar o hino nacional, terminando com apertos de mão rituais.

Atualmente, vários pesquisadores vinculam rituais à obtenção de resultados [2,3]. Os pesquisadores Mike Norton e Francesca Gino[4] descobriram que as pessoas que realizam rituais após a morte relatam um maior sentimento de controle e menos tristeza em relação à perda. Rituais simples podem ser extremamente eficazes. Os rituais realizados após sofrer perdas aliviam a dor. Os rituais realizados antes das tarefas de alta pressão - como falar em público ou entrevistas de emprego - reduzem a ansiedade e aumentam a confiança das pessoas.

Curiosamente, mesmo aqueles que afirmam não acreditar que os rituais funcionam ainda se beneficiam deles. Os rituais têm um impacto tangível sobre pensamentos, sentimentos e comportamentos, levando a melhores resultados; eles ajudam você a se concentrar e intensificar suas intenções.

Os rituais são uma parte essencial do trabalho com intenção? Não.

Eles podem ajudá-lo a trabalhar com mais sucesso com intenções? Sim!

Se os rituais não te apetecem, não os use. Eles são oferecidos neste livro como um extra opcional. Sinta-se à vontade para pular para o final deste capítulo.

Se os rituais lhe atraem e você sente que eles adicionam gravidade ao processo, por que não criar o seu? Primeiro, identifique e destile suas intenções, depois faça e use um ritual para ajudar no processo de incorporação. Os rituais podem ser o que você quiser. O poder do ritual não vem do que você faz, mas da conexão do seu cérebro entre o ritual e o resultado desejado. Seja criativo e divirta-se. Aqui estão algumas ideias:

- Encontre uma sala silenciosa. Coloque uma vela na sua frente. Acenda a vela e indique sua intenção. Mantenha sua intenção em mente enquanto assiste a vela tremulando e dançando. Deixe de lado sua intenção e confie que ela começará a tomar forma quando você apaga a vela.

- Encontre uma pedrinha que você se sinta atraído. Coloque o seixo na palma da sua mão. Lembre-se da sua intenção. Feche lentamente os dedos com cuidado ao redor do objeto. Visualize o (s) resultado (s) de suas intenções, parando por um momento para deixá-las se desdobrar. Abra os dedos e, com a outra mão, coloque a pedra em algum lugar em que a verá regularmente. A lareira, sua mesa ou a mesa de cabeceira podem ser bons lugares. Cada vez que você vê a pedra, ela lembra sua intenção.

- Sente-se e coloque as mãos sobre o colo. Toque sua mão direita três vezes na parte superior da perna direita. Ao fazer isso, lembre-se de sua intenção, como se estivesse acontecendo aqui e agora. Confie que ele se desenrolará da melhor maneira possível para você. Uma vez por dia no horário escolhido, toque suavemente na parte superior da perna direita para reafirmar sua intenção.

Avaliando a prontidão

Antes de começar, vale a pena verificar com você mesmo para testar sua prontidão. Há momentos na vida de todos quando o tempo simplesmente não está certo e as circunstâncias podem impedir o processo. Eles podem incluir:

- ❧ Os pontos de transição na vida, como sair de casa, mudar de casa, mudar para outro país ou mudar de emprego.

- ❧ Ficar doente ou incapacitado.

- ❧ Lidar com a morte de familiares ou amigos íntimos.

- ❧ Seus filhos vão para a faculdade ou saem de casa.

- ❧ A exigência de fornecer cuidados de longo prazo para pais, filhos ou parceiros.

- ❧ Passar por um divórcio ou o rompimento de um relacionamento de longo prazo.

Essa lista não é exaustiva e pode não ser uma barreira para trabalhar com intenção, mas em momentos como esse, você precisa verificar com você mesmo e verificar se é a hora certa para você. Se a resposta for afirmativa, prossiga, mas lembre-se de ser gentil e paciente com você mesmo e dê uma folga.

A estrutura da IDEA: intenção em 4 etapas

O modelo I-AM (detalhado no capítulo 1) forneceu uma explicação de como a intenção funciona. As próximas páginas descrevem uma nova ferramenta - a estrutura IDEA

- um modelo eficaz, testado e comprovado, que o ajudará a aproveitar o poder da intenção.

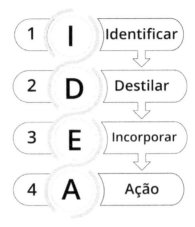

Figura 10: O IDEA Framework © 2020 Intentional Creations

A estrutura ajudará você a começar identificando intenções iniciais; essa é geralmente a parte mais difícil do processo. Você então destila sua intenção, checando-a, testando-a e refinando-a, se necessário. Isso é muito importante porque as intenções identificadas na Etapa 1 podem ser vagas, levemente distantes da tangente ou excessivamente influenciadas pelas vontades e desejos dos outros.

As etapas 3 e 4 começam a funcionar para cumprir sua intenção, colocando sua massa cinzenta em segundo plano. Você começa a incorporar sua intenção caminhando na conversa e aproveitando as oportunidades que o ajudarão a alcançar sua intenção.

Os próximos quatro capítulos detalham a estrutura da IDEA

com muito mais profundidade.

Coisas que você precisa saber antes de começar

Intenções poderosas começam com um desejo profundo e sincero (DSD), sustentado por uma crença de que isso é possível. Para identificar seu DSD e suas crenças úteis / não úteis, você precisa envolver sua mente e seu cérebro. Aqui estão algumas coisas que podem parecer contraintuitivas que você precisa saber antes de começar.

Mantenha suas intenções levemente

Se você realmente quer algo com todas as fibras do seu corpo, é fácil cair na armadilha do esforço excessivo. Esforçar-se para atingir as metas desejadas pode ser uma coisa muito positiva, mas a tentativa excessiva pode ter o efeito oposto. Embora possa parecer contraintuitivo, tente manter suas intenções levemente. Seja claro e conciso sobre qual é a sua intenção, mas não fique muito envolvido nos detalhes de como e quando. Isso ajuda seu cérebro a permanecer em um estado ideal para perceber todas as oportunidades que surgem para transformar suas intenções em realidades. Deixe suas intenções se manifestarem naturalmente; eles podem fazer isso de maneiras inesperadas.

Ouça sua lógica e seu instinto "intestinal"

Ao tomar uma decisão, os principais líderes reúnem todos os fatos, estudam todos os dados, tomam uma decisão provisória e depois sintonizam seu instinto. Se não "parece" certo, eles não fazem.

No capítulo 2, descrevi a sabedoria das 100 milhões de conexões neuronais em seu intestino. Seu intestino pode ajudá-lo a sintonizar suas respostas inconscientes, ajudando-o a trabalhar de maneira mais eficaz com as intenções. Se você sente um instinto visceral, algo não está certo, acredite. Não é apenas o seu intestino que pode lhe dar uma visão da sua sabedoria interior; todo o seu corpo pode. Seu corpo frequentemente responde com tensão física a certos pensamentos. Essa tensão física pode indicar que algo não está certo, permitindo que você verifique e refine suas intenções. Se você não está consciente desse corpo, o treinamento da atenção plena pode ajudar. Descubra mais sobre isso no Capítulo 10.

Suas crenças apoiam ou minam você?

Para que uma intenção se torne realidade, seu desejo sincero e profundo de que algo aconteça deve ser sustentado por uma crença de que isso é possível. Embora você realmente queira que algo aconteça, pode não acreditar totalmente que isso é possível. Qualquer falta inconsciente de crença pode impedir ou impedir que sua intenção aconteça. As últimas páginas deste capítulo fornecem informações valiosas sobre crenças, para impedir que suas crenças inviabilizem suas intenções.

Crenças são percepções condicionadas construídas como resultado de sua interpretação e de respostas emocionais a boas e más experiências.

Seu sistema de crenças são regras psicológicas de comando que sua mente envia ao sistema nervoso do seu cérebro. Essas regras moldam seus pensamentos e formam um filtro ou lente através da qual você experimenta a realidade. Ao longo da vida, suas crenças se tornam arraigadas ao seu cérebro e são reforçadas toda vez que você pensa dessa maneira. Esses comandos influenciam como você observa, distorce, generaliza ou exclui as experiências da vida.

Em essência, crenças são suposições que você faz sobre você e os outros, moldando suas expectativas em relação ao mundo e criando histórias poderosas de como as coisas serão. Todo mundo usa as crenças como âncoras para ajudá-las a entender o mundo.

Suas crenças formam os fundamentos de suas expectativas na vida. Todos os humanos almejam a certeza, porque isso cria uma sensação de segurança, reduzindo assim o estresse, a ansiedade e o medo. As crenças ajudam a criar uma sensação de certeza e segurança, explicando por que você as aperta com frequência quando são irrelevantes ou não o servem mais bem.

É fácil cair na armadilha de crenças errôneas por fatos. Crenças nada mais são do que suposições ou conclusões baseadas em suas experiências. Crenças formadas na infância podem não ser mais relevantes para a sua vida como adulto e podem se mostrar inúteis ou até prejudiciais.

Suas crenças podem se confundir com seus padrões de linguagem, influenciando sua percepção dos eventos da vida e desviando você dos fatos do momento presente.

Percepção + atenção = experiência

A cada momento da sua vida, seus cinco sentidos estão coletando informações que o ajudam a moldar sua percepção do mundo. Embora os olhos sejam capazes de receber mais de um megabyte de informação por segundo, a maioria das pessoas pode processar conscientemente de quatro a cinco peças por vez. A atenção é um recurso escasso e precioso.

Sua experiência do mundo é, portanto, determinada pela sua percepção (dados coletados através dos sentidos) e pelas coisas que você escolhe prestar atenção.

Figura 11: Percepção + atenção = experiência © 2020 Intentional Creations

Os pesquisadores de Harvard Killingsworth e Gilbert pesquisaram a quantidade de tempo que a mente vagava[1]. A conclusão deles foi que sua atenção não está onde você deseja que esteja por quase 50% do dia. Se for esse o caso, 50% do dia em que você não está conscientemente no controle das coisas em que presta atenção. Isso pode ajudar a explicar como é fácil construir e fortalecer suas crenças diante de fatos impressionantes do momento presente que (se você prestasse atenção a eles) contradiziam ou derrubavam suas crenças. Nos estágios iniciais de uma crença, sua mentalidade permanece flexível. Com o tempo, conforme seu cérebro busca ativamente coletar mais informações para apoiar cada crença, elas se tornam mais fortes e mais robustas.

As crenças tornam-se inconscientemente reforçadas e conectadas ao seu cérebro através da neuroplasticidade. Quanto mais você pensa de uma certa maneira, maior a probabilidade de pensar dessa maneira.

Eventualmente, sua crença é tão profundamente arraigada e difícil de mudar.

Crenças fortes podem ser formadas mesmo quando há pouca ou nenhuma evidência do mundo real para apoiá-las. Você tem fé porque deseja desesperadamente acreditar em algo. Quando você deseja desesperadamente acreditar em algo, é fácil ignorar os fatos e usar sua imaginação para ajudá-lo a reunir as coisas necessárias para apoiar essa crença. Isso pode ser reforçado com o passar do tempo com pessoas que compartilham sua fé, que o ajudam a estabelecer uma crença firme - baseada em opiniões e não em fatos.

Ao trabalhar com intenção, tente estar ciente de quaisquer crenças que possam inibir seu progresso e teste gentilmente sua validade e utilidade.

Estudos de caso de intenção

Na preparação deste livro, documentei cinco estudos de caso para ilustrar os diferentes caminhos que as pessoas seguem para transformar suas intenções em eventos do mundo real. Apresentei o estudo de caso de Helen nos Capítulos 6-9. Para tornar este livro acessível, decidi publicá-lo neste prático formato de livro de bolso. A desvantagem disso é que não tenho espaço suficiente para compartilhar todos os cinco estudos de caso do livro. Você encontrará os seguintes estudos de caso no meu site:

www.intention-matters.com.

Estudo de caso 2: Advik

Advik é um empresário social indiano, dono de uma empresa que fabrica equipamentos portáteis de purificação de água movidos a energia solar para o mundo em desenvolvimento. Seu ponto de partida para trabalhar com intenção foi o desejo de tornar a água potável acessível a todos na Índia. O estudo de caso de Advik ilustra uma maneira de trabalhar com uma mega intenção.

Estudo de caso 3: Fernando

Fernando é um empreendedor técnico brasileiro jovem, enérgico e ideológico. Ele trabalha meio período, ganhando uma renda como programador de realidade virtual. O restante de seu tempo é dedicado ao início de um empreendimento de tecnologia social que busca "acordar o mundo usando a tecnologia imersiva de maneira positiva". O estudo de caso de Fernando ilustra outra maneira de trabalhar com uma mega intenção.

Estudo de caso 4: Natasha

Natasha subiu em sua carreira, ganhando um papel sênior em uma empresa de marketing bem conhecida. Com quase 30 anos, decidiu desistir do trabalho para se tornar mãe em tempo integral. Depois de um período de tempo gostando de ser mãe em período integral, sentiu vontade de trabalhar novamente. Este foi o ponto de partida de Natasha para trabalhar com intenção. O estudo de caso de Natasha ilustra uma maneira de trabalhar com uma intenção central.

Estudo de caso 5: Hank

Hank é um indivíduo singular que possui uma grande variedade de habilidades práticas e é excelente na solução de problemas. Ele é um carpinteiro qualificado para fazer a maioria dos projetos de construção. Ele vive 'fora da rede' em um pequeno pedaço de terra que possui, escondido longe da vista. Ao longo dos anos, ele construiu uma pequena casa e dependências com materiais reciclados gratuitos. Ele coleta água da chuva e gera parte de sua própria eletricidade, complementando suas necessidades de energia com um gerador dos anos 50. Hank ganha uma renda de subsistência fazendo bricolagem e construindo trabalhos para as pessoas que ele gosta, felizes em tolerar suas maneiras idiossincráticas para obter mão de obra de qualidade. Sua intenção é ser o mais auto-suficiente possível. O estudo de caso de Hank ilustra maneiras de trabalhar com micro intenções e intenções centrais.

Estudo de caso 6: Sofía

Sofía adora motocicletas, especialmente qualquer coisa antiga, vintage ou retrô. Ela é uma mecânica respeitada com uma riqueza de conhecimentos. Depois de muitos anos trabalhando como mecânica em algumas das principais concessionárias, Sofia decidiu que queria sua própria oficina. O estudo de caso de Sofía ilustra como intenções 'nebulosas' mal definidas podem bloquear o progresso e como a estrutura da IDEA pode ajudar.

Resumo

- 🌿 A IDEA ajuda você a trabalhar com intenções:

    1. Identificando intenções iniciais

    2. Destilando, testando e refinando sua intenção

    3. Incorporando e incorporação a intenção

    4. Agindo observando e agarrando oportunidades que o ajudarão a alcançar sua intenção.

- 🌿 Mantenha um estado cerebral ideal e evite exagerar, mantendo suas intenções levemente.

- 🌿 Ouça o instinto e a sabedoria do corpo em vez de confiar apenas na lógica do cérebro esquerdo.

- 🌿 Lembre-se que percepção + atenção = experiência. Ao trabalhar com intenção, tente estar ciente de quaisquer crenças que possam inibir seu progresso e teste gentilmente sua validade e utilidade.

❧ Algumas pessoas acham que os rituais os ajudam a trabalhar com intenções. Os rituais não são essenciais, mas se você os achar úteis, crie o seu e use-o para ajudá-lo a incorporar suas intenções.

❧ Existem muitas maneiras diferentes de trabalhar com o modelo IDEA. Para ilustrar isso, o estudo de caso de Helen é compartilhado com você nos capítulos 6-9. Você pode acessar mais estudos de caso no meu site abaixo.

❧ Recursos adicionais e estudos de caso que suportam este capítulo estão disponíveis no meu site: www. intention-matters.com

Referências

1. Killingsworth MA., Gilbert DT. (2010). A wandering mind is an unhappy mind. Science. 2010 Nov 12;330(6006):932. doi: 10.1126/science.1192439.

2. Damisch L, Stoberock B, Mussweiler T. (2010). Keep your fingers crossed!: how superstition improves performance. Psychological science Jul;21(7):1014-20. doi: 10.1177/0956797610372631. Epub 2010 May 28.

3. Nobel, Carmen. (2013). The Power of Rituals in Life, Death, and Business – Harvard Business School working paper (2013) Harvard Business School working paper 3rd June 2013.

4. Norton, Michael I., and Francesca Gino. (2013) Rituals Alleviate Grieving for Loved Ones, Lovers, and Lotteries. Journal of experimental psychology.

Capítulo 6

Etapa 1: Identificando suas Intenções

"A intenção é uma das forças mais poderosas que existem. O que você quer dizer quando faz algo sempre determina o resultado. A lei cria o mundo. "

- Brenna Yovanoff, autora de best-sellers

Neste capítulo:

- ❧ *Qual é o seu desejo sincero e profundo?*

- ❧ *Identificando o que você quer*

- ❧ *Por que a racionalidade pode ser uma ilusão*

- ❧ *Ferramentas e técnicas para identificar suas intenções*

- ❧ *Um estudo de caso*

Este capítulo foi escrito com a intenção de ajudá-lo a aplicar a Etapa 1 da estrutura da IDEA - 'Iniciação' para identificar como ponto de partida para seu trabalho com intenção. Às vezes, a etapa 1 é a parte mais difícil do processo. Não se apresse, dê algumas voltas erradas para encontrar um caminho a seguir que realmente funcione para você.

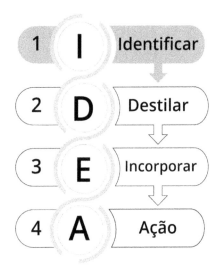

Figura 12: Etapa 1 da estrutura da IDEA © 2020 Intentional Creations

Meu pai, um homem sábio, me disse uma vez "você não pode guiar um veículo estacionado". Perplexa, pedi que ele explicasse. Ele me disse que na vida é importante seguir em frente. Não importa se você acaba indo na direção errada por um tempo, pois isso ajuda você a descobrir o caminho certo a seguir. Se você ficar parado, nada acontece; você está simplesmente parado. Quando você se move, as coisas acontecem e as oportunidades surgem. Se você cometer um erro, as pessoas ao seu redor, seu ambiente e sua bússola interior ajudarão você a navegar na direção certa.

Começar é muitas vezes a parte mais difícil de iniciar sua intenção. Não há tempo como o presente; de fato, é o único momento que você tem.

Lembre-se de que a próxima etapa do processo é Destilar, assim você terá tempo de sobra para verificar, testar e refinar. Esse estágio do processo da IDEA é apenas para começar sua jornada, então libere a pressão para ser perfeito ou faça a coisa certa da primeira vez. Há muito tempo.

Colocar-se sob pressão desnecessária para executar simplesmente torna o processo mais difícil ou mais demorado - portanto, seja gentil consigo mesmo e permita-se o tempo que precisar.

Qual é o seu desejo sincero e profundo?

Intenções poderosas começam com um 'Desejo Sincero e Profundo' (DSD). Se você deseja que suas intenções se transformem em eventos do mundo real, elas devem começar com algo que você realmente deseja em um nível muito profundo.

Você sabe o que quer?

O que você quer? Que pergunta poderia ser mais simples - ou importante - para responder? Desde a publicação de um livro best-seller, a viajar pelo mundo, a dar um passo adiante, a história de sua vida é motivada por seus desejos. Mas, por mais fácil que seja a pergunta, respondê-la geralmente é tudo menos isso.

"Não sei o que quero, mas quero agora"!

No filme maravilhosamente idiossincrático de Vivian Stanshall, 'Sir Henry em Rawlinsons End' (1980), Sir Henry, o patriarca da imponente propriedade conhecida como 'Rawlinsons End', acorda cedo uma manhã e grita com seu servo "Não sei o que Eu quero, mas quero agora"! Muitas pessoas passam a maior parte de sua vida sem saber o que querem ou por que querem. Saber o que é seu Desejo Sincero e Profundo (DSD) é um bom ponto de partida.

Como é sentir um DSD?

Ao trabalhar com intenções aninhadas, centrais e megaintenções, seu DSD é o seu desejo mais forte. É o que literalmente faz seu coração cantar. É o que você faria se não houvesse pagamento envolvido, e você gosta muito disso. Você pode até pagar alguém para deixar você fazer isso; é o quanto você ama essa coisa. Você já ouviu a expressão "Siga seu coração"? É disso que eu estou falando.

O seu DSD é algo que, quando você faz isso, ou apenas pensa nisso, você tem uma sensação de calor por dentro, principalmente na região do peito. Você pode até sentir um formigamento quente em todo o corpo. Pode desencadear pensamentos, imagens e emoções positivas. Desejos ou objetivos superficiais que passam simplesmente não têm o mesmo impacto em sua mente e cérebro.

Um DSD, juntamente com a crença de que o que você realmente deseja é alcançável, é o ponto de partida para definir intenções que podem mudar sua vida. Neste ponto, saber exatamente como você fará seu desejo se tornar realidade não importa e não deve restringir seu pensamento. O importante é que você realmente o queira com todas as fibras ou seu corpo e acredite que isso é possível. Mais sobre isso no próximo capítulo.

Conhecendo a diferença entre DSDs e desejos superficiais

A cultura em que você vive pode fazer você pensar que precisa de coisas que na realidade você não precisa, não pode pagar ou que não o fazem feliz. Você também pode ter sido sugado para uma mentalidade de rebanho, querendo o que os outros querem ou o que os outros dizem é necessário para a felicidade.

A vida moderna pode dificultar a diferenciação entre algo que você realmente deseja e uma fantasia passageira ou algo que a sociedade ou o consumismo ditam que você deve aspirar. E se você tivesse apenas seis meses de vida; O que você faria diferente? O que seria importante para você?

Lembre-se de que seu DSD é seu desejo mais forte. É o que literalmente faz seu coração cantar, palpável em todas as fibras do seu corpo. Descartar o que não é importante exige que você se conecte ao DSD. A maneira como o sistema de intenções funciona é que ele alerta rapidamente o que NÃO fazer, desde que a intenção tenha sido definida. O treinamento da atenção plena pode realmente ajudá-lo nesse processo (mais sobre isso no capítulo 10).

Itens a serem lembrados na Etapa 1

Aqui estão algumas coisas que podem parecer contraintuitivas, que você precisa saber antes de começar.

Esquerda nem sempre é melhor

Nossa vida moderna e nosso sistema educacional promoveram uma maneira altamente amigável de fazer e aprender no hemisfério esquerdo.

A maneira mais eficaz de trabalhar com intenção é abraçar o seu hemisfério direito "bagunçado". Isso permitirá que você vá além da razão e da lógica e sintonize sinais mais profundos e sutis. Conectar-se a sinais sutis no corpo e no coração pode exigir alguma prática e esforço a princípio, especialmente se você não praticar a atenção plena, mas seus esforços serão ricamente recompensados. Seu viés no lado esquerdo do cérebro pode resultar em um forte desejo de usar a lógica e "pensar" em vez de "tomar decisões". Isso é perfeitamente normal, mas esteja ciente de que outras opções podem contribuir para um maior sucesso.

A racionalidade pode ser uma ilusão

Sua mente consciente controla uma porcentagem minuciosa de todas as suas atividades cerebrais; portanto, você não está tão no controle de suas decisões quanto imagina. Você também não é tão racional quanto pensa. A pesquisa de Bechara e Damasio[1] sobre a ilusão da racionalidade ilustra claramente isso, mostrando como a mente consciente e inconsciente frequentemente produzem histórias elaboradas sobre por que fazemos as coisas e por que nos sentimos da maneira que fazemos - o que pode ser parcial ou completamente falso.

Muitas vezes investimos tanto na história de quem somos e do que fazemos, que deixamos de reconhecer a verdade.

Ao trabalhar com intenção, é sensato questionar tanto as coisas que você deseja alcançar quanto suas crenças. Não deixe que a racionalidade ou a lógica atrapalhem a intenção. Ideias que podem parecer loucas ou irracionais geralmente são o início de algo surpreendente ou uma mudança de paradigma. As etapas 2 e 3 solicitarão que você verifique os sentidos e refine sua intenção inicial posteriormente, se necessário.

O cérebro medroso

Conforme detalhado no Capítulo 2, o cérebro humano evoluiu para ser vigilante em relação a possíveis riscos ou ameaças, levando ao que os psicólogos chamam de "viés da negatividade humana". Isso, combinado com as rápidas mudanças, os avanços tecnológicos, a sobrecarga de informações e o ritmo acelerado da vida, podem resultar em um modo de ameaça e medo a longo prazo da operação do cérebro. Isso tem enormes impactos na produtividade, nos relacionamentos no trabalho e no bem-estar. Ao trabalhar com organizações, frequentemente percebo que a tomada de decisões de gerenciamento e liderança é motivada pela falta de confiança, medo, necessidade de se proteger e suposições.

Nesse modo, é muito difícil ser verdadeiramente criativo, flexível, confiante, inovador e gentil. Ao iniciar uma intenção, atente para o seu viés de negatividade embutido. Pergunte a si mesmo: 'Se eu não tivesse medo nem barreiras, qual seria minha verdadeira intenção?' Como alternativa, quando você tiver identificado uma intenção inicial, pergunte a si mesmo 'isso seria o mesmo ou diferente se eu não tivesse barreiras e nenhum medo?'

Etapa 1 - estudo de caso

Usamos o estudo de caso de Helen nos capítulos 6 a 9 para ilustrar cada um dos quatro estágios da estrutura da IDEA.

Helen é uma gerente sênior trabalhadora, motivada e altamente motivada, trabalhando para um especialista global em seguros da FTSE 100. Encontrei Helen para uma sessão de treinamento, quando perguntei quais eram suas intenções. Helen listou uma série de objetivos relacionados ao trabalho:

- ❧ Para melhorar suas habilidades de comunicação

- ❧ Tornar-se melhor em motivar sua equipe.

- ❧ Para apoiar e gerenciar melhor as mudanças.

- ❧ Melhorar a retenção de funcionários em sua divisão.

Eu questionei por que ela realmente queria conseguir isso? Ela olhou para mim incrédula e me disse com alguma força que esses eram objetivos perfeitamente lógicos e coisas que ela pretendia alcançar. Sorri interiormente e reformulei a pergunta, perguntando "por que isso é importante para você?" Helen fez uma pausa e depois de algum pensamento respondeu:

- ✎ Quero fazer da minha empresa e, especialmente, da minha divisão, um ótimo lugar para trabalhar

- ✎ Quero apoiar, capacitar e desenvolver minha equipe

- ✎ Quero ser reconhecida como uma grande líder, ganhando promoção e acesso a novos e emocionantes desafios no trabalho.

Portanto, o ponto de partida de Helen para iniciar a intenção foram seus objetivos relacionados ao trabalho. Após uma análise mais aprofundada, ela as refinou em três intenções iniciais relacionadas ao trabalho. Em seguida, ajudei Helen a testar sua crença em sua capacidade de fazer isso acontecer. Helen tinha uma forte crença em sua capacidade de alcançar essas intenções e um forte desejo de fazê-las acontecer. Helen originalmente pensou que essas eram suas principais intenções, mas como você descobrirá no próximo capítulo ao trabalhar na Etapa 2, isso mudou.

Técnicas para ajudá-lo a identificar intenções

Seu ponto de partida para iniciar a intenção pode ser muito diferente do de Helen. Inicie esta etapa sempre que lhe parecer adequado ou com o que lhe vier à mente.

O objetivo da Etapa 1 da estrutura da IDEA é iniciar a intenção, começar identificando uma ou mais intenções e testar sua crença de que elas acontecerão. Algumas pessoas, como Helen, acham mais fácil começar com objetivos e depois identificar intenções iniciais, mais tarde, levando à identificação da intenção principal. Outros, como Advik, Natasha e Fernando, apresentados em nossos estudos de caso, têm um ponto de partida muito diferente.

Advik começou com o que ele pensava ser sua intenção principal e depois descobriu sua verdadeira intenção, que acabou sendo muito maior. Natasha identificou uma intenção central ampla, mas inicialmente não acreditava que isso acontecesse, pois ela não sabia por onde começar. Fernando estava fortemente motivado a fazer a diferença no mundo.

Embora tivesse uma forte crença de que poderia fazer as coisas acontecerem, sua mega intenção era tão grande que lhe faltava a experiência para saber por onde começar. Um tamanho não serve para todos; somos todos indivíduos, então experimente e veja o que funciona melhor para você. Escolha uma ou mais das seguintes ferramentas para ajudá-lo a iniciar sua intenção - ou encontre outro método que funcione para você.

Iniciando a primeira ferramenta das intenções: mantenha-se em movimento!

Começar é muitas vezes a parte mais difícil de iniciar sua intenção. Não há tempo como o presente; de fato, é o único momento que você tem. Pegue uma caneta e papel ou um tablet. Começando com o que vier à mente, tente identificar:

1. Qual é a sua intenção principal?

2. Alguma intenção aninhada (ou intenções provisórias) fica abaixo disso?

3. Que objetivos amplos realistas você pode definir para seguir em frente?

Se você se sentir resistente ou sentir um bloqueio, um pouco de mindfulness (consulte o Capítulo 10) pode ser benéfico. Concentre sua atenção em sua experiência no momento presente. Preste atenção ao processo, não apenas aos resultados. Note:

- ❧ Como você abordou essa tarefa?

  - o Você procrastinou ou pulou e encontrou uma caneta?

  - o O que sua abordagem para esta tarefa pode lhe dizer sobre os dados mais subconscientes que alimentam essa ideia do projeto?

- ❧ Como você colocou a caneta no papel (ou dedo no tablet)?

  - o A pressão?

  - o A velocidade da escrita?

Não fique muito atolado ao trabalhar na Etapa 1. Identificar apenas uma intenção é um ótimo lugar para começar. Não importa se é uma intenção central, uma intenção aninhada ou simplesmente uma meta. É um ponto de partida. O passo 2 o ajudará a destilar, testar e refinar conforme necessário.

Iniciando a ferramenta de intenção dois: Mapeamento mental

O mapeamento mental é uma ótima maneira de obter informações dentro e fora do seu cérebro. O mapeamento mental é uma maneira criativa e lógica de fazer anotações que visualmente "mapeiam" suas ideias. Os mapas mentais têm uma estrutura natural irradiando do centro e usando linhas, símbolos, palavras, cores e imagens que são compatíveis com o cérebro.

Se você não conhece o mapeamento mental, lembre-se do mapa de uma cidade. O centro da cidade representa a ideia principal; as principais estradas que levam do centro representam os principais pensamentos ou considerações. Estradas ou galhos secundários representam seus pensamentos secundários, e assim por diante. Imagens ou formas especiais podem representar pontos de interesse ou ideias particularmente relevantes.

O mapeamento mental ajuda você a anotar ideias em qualquer ordem, conforme elas surgem em sua cabeça. Você não é impedido por ter que pensar de maneira linear. Ele permite que você anote todas e quaisquer ideias, sabendo que pode reorganizá-las mais tarde. O mapeamento mental pode ser feito com caneta e papel - há benefícios neurológicos no uso de caneta e papel - ou através dos muitos produtos de software de mapeamento mental disponíveis.

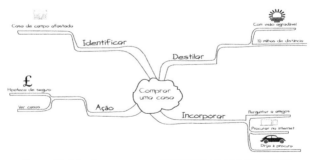

Figura 13: Criando um mapa mental © 2020 Intentional Creations

Iniciando a ferramenta três da intenção: Obter um senso da sua intenção

Lembre-se da sua intenção. Sintonize-a o mais vividamente possível, como se estivesse acontecendo neste momento. Envolva o maior número de sentidos possível.

- Com o que se parece?

- Qual é o seu estado emocional?

- Há emoções negativas, positivas ou neutras presentes?

- O que você pode ouvir? Cheiro?

- Como é?

- Parece certo ou você pode detectar algum desconforto? Alguma tensão sur6giu no corpo?

- Você está movendo todo ou parte do seu corpo? Como seu corpo está se movendo?

Se você sentir algum desconforto ou emoções negativas, ou detectar tensão surgindo no corpo, isso pode ser um sinal de que sua intenção não está ressoando com você no nível subconsciente ou intestinal. Use a ferramenta de mapeamento mental (consulte a ferramenta 6 acima) ou as ferramentas de verificação de sentido acima para ajudá-lo a entender o que está acontecendo e identificar o que precisa ser refinado.

Iniciando a ferramenta quatro da Intenção: Coaching

Os coaches ajudam você a identificar e se concentrar no que é importante, acelerando seu sucesso. Um treinador de intenção pode ajudá-lo a:

- ❧ Criar um ambiente seguro no qual você se veja mais claramente.

- ❧ Identificar a diferença entre objetivos e intenções.

- ❧ Conduzir a pensamentos, ações e comportamentos mais intencionais.

Você encontrará mais ferramentas e técnicas no meu site abaixo.

Resumo

Ao identificar suas intenções:

- ❧ Começar pode ser a parte mais difícil. Às vezes, é melhor fazer algo, mesmo que depois não seja a coisa certa. Erros, desvios e curvas erradas apontam para as direções certas.

- ❧ Verifique o quanto você deseja sua intenção. Se é superficial ou o sonho de outra pessoa, deixe para lá.

- ❧ Ao identificar sua intenção, use todos os recursos disponíveis para você. Use sua lógica do lado esquerdo, a criatividade do lado direito, sabedoria corporal e instinto.

🐚 Não deixe o medo ser uma barreira. Reconheça e aceite seu medo, se ele surgir. Não o deixe sequestrá-lo ou empurrá-lo para fora do curso.

🐚 Recursos adicionais e estudos de caso que suportam este capítulo estão disponíveis no meu site: www. intention-matters.com

Referências

1. Bechara A., Damasio AR, Damasio H, Anderson SW. (1994). Insensitivity to future consequences following damage to human prefrontal cortex. Cognition. 1994 Apr-Jun;50(1-3)

Capítulo 7

Etapa 2: Destilar e refinar sua intenção

"Pergunte a si mesmo: qual é a minha verdadeira intenção? Reserve um tempo para deixar um "sim" ressoar dentro de você. Quando estiver certo, garanto que todo o seu corpo sentirá isso."

- Oprah Winfrey, apresentadora de talk show, atriz, produtora

Neste capítulo:

- ✤ *Como destilar e refinar suas intenções*

    - o *Verificando seu viés*

    - o *Sendo específico e flexível*

    - o *Verificando suas crenças*

- ✤ *Etapa 2 - estudo de caso*

- ✤ *Ferramentas e técnicas para ajudá-lo a destilar suas intenções*

Felicitações! Você atingiu a Etapa 2 da estrutura da IDEA. O passo 1 é frequentemente a parte mais difícil do processo. A Etapa 2 se baseia na Etapa 1, ajudando-o a verificar sua intenção, destilando-a, testando-a e refinando-a conforme necessário.

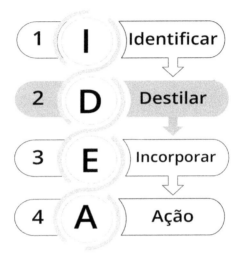

Figura 14: Etapa 2 da estrutura da IDEA © 2020 Intentional Creations

Nesse estágio, é fácil diminuir o zoom em uma onda de emoção, indo o mais rápido possível para o estágio em que as coisas começam a acontecer e sua intenção se torna um evento do mundo real. Às vezes, é preciso diminuir a velocidade para acelerar!

Partir em sua jornada com uma intenção frouxa e mal definida, na qual você não tem crença ou que pode não ser o que você realmente quer, só vai gastar tempo e pode levar a decepções, falta de resultados ou manifestação imatura de uma intenção.

A intenção chama a atenção para realizar ações que fazem as coisas acontecerem no mundo real.

Intenções de todas as formas e tamanhos

As intenções e a escala de intenções variam de pessoa para pessoa. Não há intenção certa ou errada. Se suas intenções são modestas e independentes, não há necessidade de ir mais longe ou aspirar a mega intenções. Você deve trabalhar com a (s) intenção (ões) adequada (s) para você neste momento.

Conforme detalhado no Capítulo 1, Figura 3, dividi as intenções em quatro categorias:

- **Mega intenções** - grandes e potencialmente capazes de mudar o mundo. Mega intenções não são para os fracos de coração e podem levar uma vida inteira para alcançar ou mesmo começar. Se você apresentar uma mega intenção no Passo Um do processo, definitivamente precisará dividi-la em intenções principais e aninhadas. Não fazer isso pode levar a sobrecarregar, procrastinação, medo e não começar. Os estudos de caso de Advik e Fernando do capítulo 5 são exemplos disso.

- **Intenções centrais** - Intenções que mudam a vida. Menor em escala e mais independente do que mega intenções. Pode contribuir para a realização de mega intenções ou autônomo. Os estudos de caso de Natasha e Hank do capítulo 5 são exemplos deste

- **Intenções aninhadas -** Intenções que, quando alcançadas, contribuem para a consecução de sua intenção principal. Você pode identificá-las inicialmente como intenções principais e depois descobrir uma maior ou mais abrangente para qual essa intenção contribui. Os estudos de caso de Helen do capítulo anterior acabaram sendo intenções aninhadas, como você descobrirá mais adiante neste capítulo.

- 🐍 **Micro intenções** - diurnas ou instantâneas, que mudam de momento, pequenas em escala, mas com um potencial impacto grande.

Pontos a serem lembrados na Etapa 2

Ao trabalhar com intenção, e especialmente no estágio de 'refiná-la', é importante não ceder a crenças autolimitadoras, dúvidas ou a voz de seu agressor interno.

Verifique seu viés

Sua mente consciente controla uma porcentagem minuciosa de todas as suas atividades cerebrais, para que você não esteja tão no controle de suas decisões quanto imagina. Você também não é tão racional quanto pensa. A pesquisa de Bechara e Damasio sobre a ilusão de racionalidade ilustra isso claramente.

Sua mente consciente e inconsciente geralmente criam histórias elaboradas sobre por que você faz as coisas e por que você se sente assim - o que pode ser parcial ou completamente falso.

Você costuma investir tanto na história de quem você é e o que faz, que deixa de reconhecer a verdade. Essa verdade desconfortável é que muitas vezes você quer coisas e, portanto, faz coisas que podem torná-lo insolente, egoísta, egoísta e injusto - e isso se aplica a todos nós.

É valioso fazer uma pausa e perguntar o que exatamente você quer. É vital separar isso do que você pensa que deve querer ou do que os outros *querem que você queira* ou queira para você. Por exemplo, quero que este livro se torne um best-seller; Quero que ajude meus leitores a aproveitar o poder da intenção e a ter um impacto positivo em suas vidas.

Eu quero escrever um livro para ser mais fácil. Quero que as pessoas sejam mais gentis e atenciosas umas com as outras. Eu quero que os políticos sejam honestos. E a lista continua.....! Vale a pena gastar algum tempo para explorar suas vontades e desejos, a fim de ajudá-lo a se concentrar no que é sua verdadeira intenção.

Seja específico, mas flexível

Uma parte potencialmente complicada do Passo 2 do processo de IDEA é tentar ser o mais específico possível; ainda mais difícil é fazer isso sem desligar ou inibir as possibilidades e oportunidades que surgem nas etapas 3 e 4 do processo.

Se você não for específico o suficiente sobre suas intenções, poderá acabar com uma manifestação imatura de uma intenção. Quando você não especifica adequadamente o que realmente deseja, pode receber exatamente o que pediu - mas acha que não é o que realmente precisa.

Por exemplo, definir a intenção de ter um namorado como Johnny Depp pode oferecer a você um namorado que se parece com Johnny, mas que tem habilidades sociais terríveis, baixo intelecto e fica irritado com a menor provocação. O truque é ser específico, mas mantenha sua intenção de ânimo leve. Aperfeiçoar isso pode levar tempo e paciência. Muito pode ser aprendido com as falhas. Sir James Dyson construiu famosos 5.127 protótipos e passou mais de 15 anos desenvolvendo esse aspirador de pó icônico. Felizmente, na minha experiência, a maioria das pessoas consegue, ou pelo menos começa a atingir suas intenções em muito menos tempo do que isso!

Suas crenças apóiam ou minam suas intenções?

Como mencionado anteriormente, seus sistemas de crenças são regras psicológicas de comando que sua mente envia ao sistema nervoso do seu cérebro. Essas regras moldam seus pensamentos e formam um filtro ou lente através da qual você experimenta a realidade. Crenças são suposições que você faz sobre você e sobre os outros; eles moldam suas expectativas do mundo ao seu redor e criam histórias poderosas de como as coisas serão.

Suas crenças influenciam todos os aspectos da sua vida, todos os momentos do dia. Crenças:

- Moldam suas expectativas e percepções da realidade.

- Influenciam as decisões que você toma e suas escolhas na vida.

- Determinam as perguntas que você faz ao longo

do dia, influenciando sua capacidade de pensar de forma criativa, construtiva e crítica.

✤ Determinam como você se sente sobre si mesmo, como se sente sobre os outros e como se sente sobre os eventos e circunstâncias de sua vida.

✤ Determinam as coisas que você fará ou não.

✤ Definem as metas que você mesmo definiu, como trabalha para alcançá-las e sua capacidade de avaliar seu progresso para alcançar essas metas.

As crenças têm três partes distintas:

Regras psicológicas: as regras que sustentam suas crenças, geralmente decorrentes de dor ou prazer. Em outras palavras, sua percepção e interpretação do que lhe dá dor e prazer afeta o resultado final.

Crenças Globais: crenças generalizadas que você faz sobre coisas, pessoas e vida. Crenças globais são coisas que você não pensa muito, aceitando-as como sendo a verdade sem questionar. Por exemplo: "Eu sou ...", "A vida é ...", "As pessoas são ..."

Convicções - Crenças que têm a mais alta certeza, compromisso e dedicação. Essas crenças fortes são frequentemente imunes à lógica. Geralmente construídas por um longo tempo com base em emoção, tempo, energia e pensamento, podem ser difíceis de mudar. Muitas convicções profundas que você tem sobre a vida podem ser mantidas em um nível inconsciente, levando a padrões habituais de 'piloto automático' que tornam difícil imaginar outras possibilidades alternativas.

Ao destilar sua intenção, tente desenvolver uma consciência de suas regras, crenças e convicções psicológicas. Essa consciência o ajudará a anular as crenças inúteis que podem servir apenas para atrapalhar seu caminho.

Usando a atenção plena para destilar e refinar a intenção

A atenção plena é a arte de prestar atenção ao que está acontecendo momento a momento, avaliando essas informações de uma maneira calma e focada. É um grande trunfo ao refinar sua intenção.

Para obter mais informações sobre a atenção plena, consulte o Capítulo 10. Ele permite que você aproveite o feedback do seu corpo e emoções, fornecendo maneiras multidimensionais para verificar as decisões, ideias e intenções.

Se você não estiver familiarizado com a atenção plena, pode ser tentado a aplicar a lógica para determinar se suas intenções são adequadas para você neste momento. Embora isso possa parecer algo racional, pode não ser útil.

Muitos acham que o processamento cerebral é uma atividade de cima para baixo. Pesquisas recentes estão evidenciando quanta informação é passada ao cérebro de baixo para cima através do nervo vago. O intestino, às vezes referido pelos cientistas como "o pequeno cérebro", hospeda um grande número de nervos diferentes dos do resto do corpo. O pequeno cérebro é tão grande e quimicamente complexo quanto a substância cinzenta no cérebro; o intestino é, portanto, responsável por como você se sente, guiando seu estado emocional. Ele envia mensagens para a ínsula, sistema límbico, córtex pré-frontal, amígdala e hipocampo, ajudando assim a governar sua autoconsciência, emoções, bússola moral, medos, memórias e motivações.

O treinamento da atenção plena ajuda você a sintonizar algumas das mensagens enviadas de baixo para cima, do intestino ao cérebro, ajudando-o a explorar sua sabedoria interior, fornecendo novas ideias e novas perspectivas. Na seção de ferramentas deste capítulo, você encontrará dois exercícios baseados na atenção plena para ajudá-lo a trabalhar com a Etapa 2.

Etapa 2 - estudo de caso

Depois de identificar algumas intenções iniciais em uma sessão de treinamento, Helen (a quem você conheceu no capítulo 6) teve a tarefa de gastar algum tempo para considerar sua intenção principal em sua vida e carreira; o que era importante e o que ela realmente queria na vida se não houvesse restrições?

Várias semanas depois, nos encontramos novamente. Helen disse que achara isso um exercício valioso. Quando ela tirou as camadas, o que ela realmente queria - suas principais intenções - era:

- ❧ Tornar-se o melhor líder possível.

- ❧ Ganhar uma renda suficiente para viver confortavelmente em sua casa e faça as coisas na vida que ela gostava de fazer.

Helen tinha uma forte crença em sua capacidade de alcançar sua intenção principal, uma crença que eu compartilhava. Portanto, para Helen, a maneira mais fácil de identificar sua intenção principal era começar com objetivos, depois identificar suas intenções aninhadas, ajudando-a a identificar sua intenção principal.

Helen deixou bem claro que sua principal intenção era ganhar uma renda suficiente para viver confortavelmente em sua casa e fazer as coisas na vida que ela gostava de fazer. Parecia certo em todos os níveis e fiquei satisfeito ao saber que ela havia chegado a essa conclusão.

Apesar disso, ela estava inicialmente cheia de insegurança e medo de conseguir alcançar sua intenção principal de ganhar uma renda insuficiente para viver confortavelmente em sua casa e fazer as coisas na vida que ela adorava fazer. Seus pais sempre lutaram para sobreviver quando ela era criança; isso a motivou a trabalhar duro em sua carreira, para que ela nunca vivesse sua vida na mesma posição de medo e empobrecimento que seus pais.

Somente quando trabalhava para refinar e incorporar sua intenção é que ela percebeu que ainda tinha um profundo medo da pobreza, que não teria dinheiro suficiente e que a vida seria sempre uma luta para ela. Ao revelar esses medos e sua fiação mental sobre dinheiro, ela conseguiu trabalhar com novas atitudes mais positivas e de mente aberta em relação ao dinheiro.

O objetivo da Etapa 2 da Fórmula de Intenção é destilar, testar e refinar as intenções que você identificou na Etapa 1. Algumas pessoas, como Helen, mudam radicalmente suas intenções como parte da Etapa 2. Outras, como Advik, expandem e ampliam suas intenção. Talvez como Natasha e Fernando, você precise explorar como é sua intenção e, de fato, retornar a esse estágio várias vezes à medida que avança, descobrindo o que funciona para você, o que deseja e, o que é mais importante, o que não deseja. Talvez como Hank, a intenção que você identificou na Etapa 1 permaneça firme e verdadeira?

A questão é que não há um modelo único para trabalhar com esse modelo. A fórmula IDEA em quatro etapas simplesmente fornece uma estrutura para trabalhar efetivamente com a intenção.

Técnicas para ajudá-lo a destilar sua intenção

Seu ponto de partida para destilar sua intenção pode ser muito diferente do de Helen. Inicie esta etapa sempre que lhe parecer adequado ou com o que lhe vier à mente.

Como no estágio um, não há um lugar "certo" ou "errado" para começar, e eu novamente o incentivo a experimentar e ver o que funciona melhor para você. Embora seja útil identificar claramente suas intenções principais e aninhadas, não se preocupe se isso não acontecer ou você não poderá decidir se uma intenção é central e aninhada. Nesse caso, basta escolher uma intenção e começar.

Escolha uma ou mais das seguintes ferramentas para ajudá-lo a destilar sua intenção. Eu recomendo que você use idealmente duas ferramentas para ajudá-lo a consolidar, confirmar ou refinar sua intenção. Você encontrará mais técnicas no meu site.

Destilando intenção - ferramenta um: Escolha a fruta de mais fácil acesso

- ⚞ Lembre-se da sua intenção. Se for uma mega intenção, tente dividi-la em várias intenções principais ou aninhadas. Escreva-as em um pedaço de papel, se achar que isso ajuda.

- ⚞ Considere as possíveis oportunidades já disponíveis ou abertas para você. Quais são as 'frutas baixas' - as oportunidades já ao seu alcance e mais fáceis de escolher?

- ⚞ Embora você possa se sentir compelido a colher todas as frutas de uma só vez, por que não começar simplesmente se concentrando nas oportunidades que já estão ao seu alcance? Evite a procrastinação e oprimir, tornando estes o seu ponto de partida.

Destilando intenção - ferramenta dois: Desmembrar uma mega intenção

Como você come um elefante? (ou um bolo de chocolate do tamanho de uma montanha ?!) A resposta? Uma colher de chá de cada vez. Se você é direcionado para uma enorme mega intenção e tem uma forte crença de que é possível, ainda é necessário dividir a intenção em várias menores e trabalhar para a conquista do todo, uma colher de chá pequena de cada vez. Essa técnica pode ser uma boa maneira de começar.

- Escreva sua mega intenção no topo de uma folha de papel.

- Escreva em pedaços de papel ou no Post-It as intenções que podem contribuir para a realização da mega intenção. Tente não se atolar nos pequenos detalhes, permanecendo o mais amplo possível.

- Agora reserve um tempo para considerar as coisas que você escreveu nos papéis. Pergunte a si mesmo se são elas:

    a. Mega intenções que substituem ou substituem a mega intenção com a qual você começou?

    b. Intenções centrais (intenções substanciais que contribuem para a realização da mega intenção)?

    c. Intenções aninhadas (intenções que contribuem para a consecução da intenção principal)?

    d. Objetivos ou outras coisas que contribuem para a realização de uma intenção aninhada?

- Reorganize os pedaços de papel até identificar duas ou mais intenções principais, posicionando outras notas abaixo disso, para representar intenções aninhadas.

Nota: Se você não tiver certeza das diferenças entre as principais intenções, intenções e objetivos aninhados, consulte o Capítulo 1 ou consulte o Glossário para obter mais informações.

Destilando a intenção - ferramenta três: De quem é a voz?

Pergunte a si mesmo se sua intenção é realmente sua, ou é de outra pessoa? É um erro fácil de cometer.

Minha mãe foi treinada como médica, mas não concluiu a última parte de seu treinamento e se arrependeu amargamente. Quando decidi em quais exames trabalhar no ensino médio, minhas escolhas foram baseadas na ideia de que eu iria treinar para ser médica. Somente depois de concluir meus exames eu percebi que não tinha nenhum interesse em me tornar médica e segui uma carreira completamente diferente. Essa ferramenta ajudará você a verificar se sua intenção é realmente sua ou de outra pessoa.

1. Use seu cérebro lógico primeiro. Pergunte a si mesmo se sua intenção é o que você realmente deseja. Anote as respostas lógicas que você recebe.

2. Verifique com seu corpo. Lembre-se da sua intenção. Como se sente em seu corpo? Que emoções são desencadeadas? Faça uma nota.

3. Agora, lembre-se de três pessoas que influenciam sua vida. Elas podem incluir pais, melhores amigos, colegas de trabalho, um líder sábio, um professor ou professor universitário.

   a. Seus amigos influentes aprovariam ou aspirariam à sua intenção?

   b. Realmente não importa, de qualquer forma, basta verificar e ver o que surge dentro de você, com uma mente aberta e curiosa.

4. Pergunte a si mesmo se a intenção é verdadeira, única e individualmente sua. É sua intenção ou de outra pessoa?

Destilando a intenção - ferramenta quatro: Sentar-se atentamente com sua intenção

Se você tiver experiência com a atenção plena, poderá orientar-se nesse exercício. Se você tem menos experiência, pode fazer o download do meu exercício MP3 gratuito IM1, que o guiará.

- Selecione a intenção que deseja destilar ou refinar.

- Instale-se em uma confortável cadeira ereta com os dois pés conectados ao chão e os braços descansando confortavelmente no colo.

- Sente-se em uma cadeira em uma postura ereta, aberta e confiante, com os ombros relaxados e não caídos para trás ou inclinados para a frente. Alerta, mas relaxado.

- Passe alguns minutos concentrando toda a sua atenção nas sensações da respiração no momento presente. Use as sensações físicas da respiração entrando e saindo como uma âncora para firmar sua atenção.

- Lembre-se da intenção que você identificou.

- Que sensações estão presentes no corpo? Onde? Tente ser o mais específico possível.

- Visualize isso acontecendo. Assista como um filme,

observando as imagens estáticas que possam surgir ou obtendo uma 'sensação' de que sua intenção se torna realidade. O que surge no corpo, coração, imagens, pensamentos? Onde a mente quer fluir?

- ❧ Se lhe parecer adequado, coloque a mão no coração, conectando-se com o que é verdadeiro para você. Como o coração se sente sobre essa intenção?

- ❧ Deixe de lado sua intenção agora. Volte sua atenção para a respiração e, mais uma vez, gaste alguns minutos concentrando sua atenção nas sensações da respiração no momento presente, sentindo a inspiração entrando e a respiração saindo.

- ❧ Termine ampliando sua atenção para perceber como todo o seu corpo se sente quando você se senta na cadeira do seu quarto, neste momento único.

- ❧ Quando estiver pronto, abra os olhos, pronto para o resto do dia seguinte.

- ❧ Anote em um diário, se desejar.

Resumo

Ao destilar suas intenções, lembre-se:

- ❧ Intenções tem todas as formas e tamanhos. Escolha uma intenção certa para você neste momento. Grande nem sempre é o melhor!

- ❧ Esteja ciente de qualquer preconceito inútil que você possa possuir.

- Tente ser específico, mas permaneça aberto e flexível.

- Verifique se suas crenças apoiam ou minam suas intenções.

- Considere usar a atenção plena para ajudá-lo a refinar suas intenções.

- Se você não sabe por onde começar ou está com procrastinação, escolha a fruta mais baixa.

- Recursos adicionais e estudos de caso que suportam este capítulo estão disponíveis no meu site: www. intention-matters.com

Capítulo 8

Etapa 3: Incorporando suas intenções

"Quanto mais consciente de suas intenções e experiências você se tornar, mais você será capaz de conectar as duas e mais poderá criar as experiências de sua vida conscientemente. Este é o desenvolvimento da maestria. É a criação do poder autêntico."

- Gary Zukav, autor de quatro best-sellers consecutivos do New York Times.

Neste capítulo:

- ❧ *Como incorporar e incorporar suas intenções*
  - ❧ *Ativando sua vontade*
  - ❧ *Focando sua atenção*
  - ❧ *Percebendo seus hábitos*
- ❧ *Etapa 3 - Estudo de caso*
- ❧ *Ferramentas e técnicas para ajudá-lo a incorporar sua intenção*

Na Etapa 1, você identificou suas intenções iniciais. Na etapa 2, você testou, checou os sentidos e refinou suas intenções. O passo 3 da estrutura do IDEA agora ajudará você a incorporar e *incorporar* sua intenção.

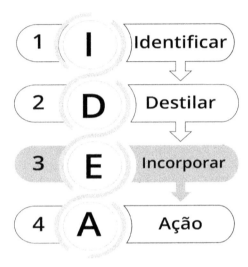

Figura 15: Etapa 3 da estrutura da IDEA © 2020 Intentional Creations

Por que incorporar? Quando criei esse modelo, inicialmente chamei essa etapa de 'incorporação' - mas rapidamente percebi que essa não era uma descrição adequada do estágio. Quando você incorpora algo, faz parte de quem você é, como vê sua vida e como a vive. Você o absorve, assimila, incorpora e integra em sua vida. Torna-se misturado e combinado com sua vida. Você e ele se fundem e se misturam. Você começa a representar sua intenção de forma visível. Este capítulo mostrará como fazer isso.

Coisas a serem lembradas na Etapa 3

Nas etapas 1 e 2, sugeri que você mantivesse sua intenção de ânimo leve. As intenções são muito diferentes dos objetivos SMART cuidadosamente planejados e orquestrados que você pode encontrar em uma avaliação de desempenho. Lembre-se de que as intenções precisam ser mantidas de forma leve, permitindo que elas se incorporem e se desenvolvam de maneiras inesperadas, tomando medidas quando surgirem oportunidades, como você descobrirá mais adiante neste capítulo.

A Etapa 2 exigia que você se registrasse e fizesse uma verificação de prontidão. Se você alcançou a Etapa 3 e, em algum nível, ainda não tem certeza de suas intenções, pode ser uma boa ideia revisar as Etapas 1 e 2 novamente. Algumas pessoas seguem essas etapas duas, três ou até quatro vezes antes de destilarem suas intenções com perfeição e se sentirem totalmente certas. Quando sua intenção parecer correta, mesmo que você não tenha a menor ideia de como isso acontecerá, trabalhe na Etapa 3.

Ativando sua vontade (Awareness AW)

O que faz você sair da cama de manhã? O que ativa sua vontade quando o alarme dispara e pode haver um forte desejo de permanecer no calor da sua cama?

Ao mesmo tempo, você deseja se levantar e se preparar para o trabalho. O desejo que é o mais forte vence e o motiva a agir, aconchegando-se mais profundamente no edredom ou saindo da cama e tomando banho.

Quem sai da cama pode fazê-lo não porque ama seu trabalho, mas porque está fortemente motivado a ganhar dinheiro. Parafraseando as palavras do Dalai Lama, muitos humanos sacrificam sua saúde para ganhar dinheiro. Então eles sacrificam dinheiro para recuperar sua saúde. Eles ficam tão ansiosos com o futuro que não gostam do presente. Como resultado, eles não vivem no presente ou no futuro; eles vivem como se nunca fossem morrer e depois morrem nunca tendo realmente vivido.

É necessário dinheiro para pagar a hipoteca, apoiar as famílias, tirar férias ou adquirir coisas para tornar sua vida mais fácil ou mais prazerosa. Mas a busca pela riqueza raramente é o desejo profundo e sincero de uma pessoa e pode inibir a conquista de seu verdadeiro DSD.

Focando sua atenção (FA)

A definição de seu DSD permite que sua mente encarregue seu cérebro de concentrar sua atenção. Seu cérebro então se concentra em maneiras de pensar e se comportar que provavelmente o ajudarão a atingir seu DSD, geralmente no nível subconsciente.

Foco estreito versus monitoramento aberto

Quando sua atenção é focada em uma única coisa, outros estímulos internos e externos são deliberadamente ignorados. O 'monitoramento aberto' permite que a atenção se concentre muito mais amplamente. Quando você define um DSD, é importante não se envolver em pensamentos sobre exatamente como você vai tornar seu desejo realidade. Fazer isso fará com que seu cérebro fique em um foco estreito no momento em que você precisa de um muito maior - a capacidade de abrir o monitor.

Monitoramento aberto

Ao praticar o monitoramento aberto, não há foco específico de atenção; em vez disso, todos os estímulos internos e externos importantes são observados momento a momento à medida que chegam. O monitoramento aberto é uma ampliação da atenção, permitindo que você esteja ciente de todos os eventos e experiências que surgem em um determinado momento. Você está essencialmente tentando observar o máximo possível de sua atividade mental (incluindo a sensação do corpo), da visão o mais ampla possível.

Imagine um helicóptero sobrevoando as planícies africanas e sendo capaz de ver todo tipo de animais, vegetação e habitats. Aprender a observar sua atividade mental dessa maneira é uma maneira realmente eficaz de quebrar os hábitos mentais imediatamente.

Um estudo de 2008 (1) concluiu que o monitoramento aberto diminuiu o estímulo elaborativo - a tendência de ser pego ou acompanhado por uma coisa quando o cérebro processa as informações recebidas. Essa diminuição permitiu que os participantes melhorassem a maneira como seu cérebro processava estímulos momento a momento. Isso os tornava menos propensos a ficar presos ou desviados dos estímulos individuais e, como resultado, ver o quadro geral.

O monitoramento aberto cultiva a metacognição, a capacidade de observar seus pensamentos, emoções e respostas baseadas no corpo. O monitoramento aberto é útil ao trabalhar com o seu DSD, fornecendo perspectiva suficiente para ver cadeias de eventos mentais e responder de maneira flexível e gentil às distrações. Ele ajuda você a desvendar intenções antigas e criar novas.

Tornando-se consciente do seu subconsciente

O seu subconsciente pode acompanhá-lo e atrapalhar quando você realmente precisa focar sua atenção. O monitoramento aberto permite que você se torne consciente do seu subconsciente.

A experiência moderna de muitas pessoas de "pensamentos acelerados" ou de ter algo que não conseguem tirar da cabeça é um sintoma de uma DMN - Default Mode Network (Rede de Modo Padrão) hiperativa.

Estar ciente do que está acontecendo como pano de fundo - atividade em sua DMN - enquanto realiza suas tarefas e atividades (modo de execução) é um aspecto vital para concentrar sua atenção. A atenção é reorientada e direcionada de volta ao momento atual (ou objeto ou tarefa) e, em seguida, a ativação do modo padrão é reduzida. É dada prioridade às informações sensoriais recebidas, um aspecto vital da atenção, ajudando você a fornecer seu DSD.

Tornando-se consciente de seus hábitos

Quando você está tentando fazer algo novo ou alcançar algo nunca alcançado antes, os hábitos podem atrapalhar.

Velhos hábitos que não lhe servem mais são muito desgastantes e podem consumir grandes quantidades de energia. Imagine se você pudesse fazer uma limpeza nessa atividade, provocando o que está ajudando e o que você pode cortar? A poda cria espaço, tornando todo o sistema mais eficiente. Você pode!

Tomar medidas para identificar alguns de seus padrões (hábitos) que não lhe servem mais bem pode ajudar sua mente e cérebro a operar com mais eficiência.

A atenção plena pode ajudá-lo a cultivar a metacognição, a habilidade do monitoramento aberto, tornando-se consciente do que está pensando, vendo e sentindo em qualquer momento.

A pesquisa demonstra que os meditadores experientes têm uma redução na atividade DMN da linha de base. Pensa-se que isso represente a mente "silenciosa", que não é excessivamente ativa e agitada, pensando no passado ou no futuro, juntamente com um forte músculo atencional da rede. É importante enfatizar que os exercícios baseados em meditação que fazem parte da atenção plena não são projetados para suprimir a atividade da DMN; em vez disso, trata-se de perceber cada vez mais prontamente quando a mente se desvia e a atividade da DMN aumenta e, em seguida, optar por reduzir essa atividade retornando seu foco ao presente.

Incorporando sua intenção

Depois de identificá-la, checá-la e refiná-la, se necessário, o próximo passo é incorporá-la ao seu cérebro e à sua vida para incorporar suas intenções. Nesta fase, é importante ser gentil consigo mesmo.

Raramente somos ensinados a ser gentis conosco mesmos, a nos aceitarmos exatamente como somos. O ato de bondade e aceitação ajuda a diminuir o sistema nervoso simpático (preparando você para o perigo) e a aumentar o sistema nervoso parassimpático, às vezes descrito como seu sistema de 'descanso e digestão'. Isso melhora sua clareza mental e capacidade de pensar de forma criativa, ajudando você a trabalhar consciente e inconscientemente em direção a seus objetivos.

Etapa 3: estudo de caso

Nesta seção, compartilho com você o estudo de caso de Helen para ilustrar uma maneira de iniciar a intenção. A maneira de Helen não é a única maneira de trabalhar com a Etapa 3 da estrutura da IDEA. Veja mais estudos de caso no meu site.

A principal intenção de Helen era se tornar a melhor líder que ela poderia ser e obter uma renda suficiente para viver confortavelmente em sua casa e fazer as coisas na vida que ela adorava fazer.

Suas intenções aninhadas incluíam o desejo de ser reconhecida como uma grande líder e avançar para maiores desafios. Seus objetivos eram melhorar a comunicação, motivar sua equipe, gerenciar melhor as mudanças e melhorar a retenção de funcionários. Tudo parecia tão claro e ela se sentia presa - e não sabia o que fazer a seguir.

Helen decidiu dar a suas intenções uma verificação de prontidão. Ela se perguntou "O que é importante agora?" E "Onde eu quero colocar minha energia"? Ela se viu pensando em sua casa, na cozinha que adorava cozinhar, em seus espaços abertos e no terraço ao ar livre que gostava de se divertir, bem como nas visitas de amigos que moravam nas proximidades.

A resposta ficou clara; ela queria continuar morando lá até a velhice. Ela tinha seis anos para pagar a hipoteca e decidiu que queria pagá-la o mais rápido possível. Nas semanas seguintes, ela revisou suas finanças e aumentou seus pagamentos de hipotecas. Ela também estabeleceu uma nova intenção de candidatar-se à vaga do diretor sobre a qual estava pensando. Ela argumentou que a conquista dessa promoção aumentaria seus ganhos para que ela pudesse pagar sua hipoteca dois anos antes.

Além disso, proporcionaria maiores oportunidades para ela desenvolver sua capacidade de liderança. Ela se imaginou trabalhando como diretora e se viu experimentando uma sensação de felicidade, calma e competência. Ela imaginou o dia em que sua hipoteca foi totalmente paga. Ela visualizou suas economias crescendo. Ela riu para si mesma quando a imagem de um alegre cofrinho cheio de dinheiro apareceu em sua mente, trotando pelo jardim contente, fungando e grunhindo. Ela imaginou as mudanças que faria na empresa, com expansão e funcionários engajados e felizes.

Na Etapa 3, Helen verificou as intenções que havia estabelecido. Ela descobriu o que parecia importante para ela naquele momento. Isso a levou a agir, ajudando-a a incorporar sua intenção. Sua visualização incomum a ajudou a incorporar e incorporar ainda mais suas intenções.

Técnicas para ajudá-lo a incorporar sua intenção

Escolha uma ou mais das seguintes ferramentas para ajudá-lo a iniciar sua intenção ou encontre outro método que funcione para você.

Ferramenta de incorporação um: verificação prática da prontidão

No meu estudo de caso, Helen realizou uma verificação prática da prontidão.

Você pode achar isso útil.

- ❧ Lembre-se da sua intenção.

- ❧ Pergunte a si mesmo 'o que é importante agora?' Observe o que surge. Anote o que surgir, se for útil.

- ❧ Pergunte a si mesmo 'onde posso investir melhor minha energia agora?' Observe o que surge. Anote o que surgir, se for útil.

Tudo o que surgir o ajudará a cristalizar seus planos. Se, como Helen, você estava planejando se candidatar a uma promoção, e de alguma forma, quando você faz as perguntas acima, isso não parece mais importante - ou se você sente resistência e tudo parece muito esforço -, volte para a Etapa 2 ou mesmo Etapa 1.

Se você perguntar "o que é importante agora?" e sua intenção parecer correta, você saberá que está no caminho certo.

Perguntando "onde posso investir melhor minha energia?" pode esclarecer um bom ponto de partida para ajudá-lo a incorporar e incorporar sua intenção em avançar.

Ferramenta de incorporação dois: Registro no diário

O cérebro só pode manipular conscientemente quatro tarefas simultaneamente. Sua memória de trabalho é o gargalo do seu cérebro. Escrever sua intenção em uma folha de papel faz várias coisas. Em primeiro lugar, libera sua preciosa memória de trabalho para que você possa se concentrar em outra coisa. Em segundo lugar, ajuda você a começar a conectá-lo com força ao seu cérebro.

Escrever ou até desenhar em um diário ou livro especialmente selecionado é melhor ainda, pois ajuda a enfatizar para o cérebro a importância que você atribui a ele, facilitando a lembrança.

- ❧ Faça uma anotação em seu diário para capturar seu progresso e como isso faz você se sentir.

- ❧ Mantenha uma nota de:

  - o quaisquer temas que surjam.

  - o quaisquer dúvidas que surjam.

  - o quaisquer bloqueios que você encontrar.

  - o qualquer coisa que você superestime ou subestime.

- o quaisquer viradas erradas ou sentimentos de fracasso.

- o qualquer manifestação imatura de intenções (veja abaixo).

- Temas comuns que surgem podem incluir procrastinação ou dúvida antes da ação, excesso de pensamento ou certos padrões de comportamento. O diário ajudará você a identificar padrões inúteis de pensamento e comportamento. Depois de perceber isso, você pode decidir quando é hora de alterar o registro. Voltas e falhas erradas são experiências valiosas de aprendizado. Evite chafurdar com autopiedade ou culpa. Aprenda com eles e siga em frente.

Manifestações imaturas de intenções podem surgir. Isso significa que você obtém exatamente o que deseja definir, mas quando chega, não é o que você deseja ou precisa. Geralmente ocorre quando você é muito vago quando define uma intenção ou realmente não sabe o que deseja.

Por exemplo, você pede um namorado como Johnny Depp e começa a namorar um homem que se parece com Johnny Depp, mas de todas as outras maneiras, ele não atende às suas necessidades. Sua intenção se tornou realidade, mas surge em um estado imaturo, por isso precisa de mais tempo e crescimento para oferecer o que você realmente deseja e precisa.

O registro no diário, ou simplesmente o tempo regular de reflexão, ajudará você a reforçar seu senso de jornada e progresso, ajudando a incorporar ainda mais sua intenção em sua vida.

Incorporação da ferramenta de intenção três: visão

No passo 2, você pode ter criado uma visão de como é ter amadurecido sua intenção. Se você tiver, faça-o novamente. Se você não tiver, tente; você pode fazer isso com ou sem a adição de um pouco de atenção. Fazer isso (conforme detalhado no Capítulo 2) ajuda você a incorporá-lo ainda mais ao seu cérebro e o faz funcionar tanto no nível consciente quanto no subconsciente, para ajudá-lo a alcançar sua intenção.

Se você é um meditador experiente, pode se orientar usando o exercício abaixo. Como alternativa, você pode ser guiado pelo exercício ouvindo o exercício MP3 IM2. A meditação é uma ferramenta poderosa para ajudá-lo a dar instruções ao seu cérebro. No entanto, se você preferir não meditar, tente criar uma imagem estacionária ou em movimento no olho de sua mente e permaneça um pouco na visão que você criou, envolvendo o maior número de sentidos possível.

Se lhe parecer adequado, convém criar um quadro de visão, uma colagem de imagens, figuras e palavras que encapsulem suas intenções. Os painéis de visão podem atuar como uma fonte de inspiração e motivação para ajudá-lo a incorporar e incorporar suas intenções.

Do ponto de vista do cérebro, quadros de visão ou estímulos visuais semelhantes podem preparar sua rede de modo padrão com imagens visuais do que você deseja ou deseja. Isso traz um foco maior de atenção para isso (viés de confirmação) e também fará com que você note mais rapidamente quando estiver fora da pista e faça algo a respeito. Criar um quadro de visão não é uma garantia de que suas intenções serão cumpridas, mas desde que você não se esforce demais ou fique obcecado com isso, e continue mantendo suas intenções com leviandade, elas podem desencadear processos cognitivos benéficos.

A visão está fortalecendo a intenção e a crença nela, e isso ativa a vontade. Para fazer isso, ative seu hemisfério direito criativo usando símbolos. Se uma imagem vale mais que mil palavras, um símbolo vale mais que mil fotos. Encontre uma figura ou objeto que simbolize sua intenção. Coloque-o em algum lugar que você o verá regularmente.

Incorporação da ferramenta de intenção quatro: ligação

Fazer a junção de informações, ideias e experiências ajuda você a conectar sua intenção à sua memória. Seu cérebro acessa suas memórias armazenadas através de dois métodos principais: reconhecimento e recordação. Reconhecimento é a associação de um evento (neste caso, definir uma intenção) com coisas que você já experimentou ou encontrou anteriormente.

O reconhecimento é em grande parte inconsciente. A lembrança envolve a lembrança de algo que não está presente no momento - nesse caso, a recuperação de uma imagem mental ou senso da intenção. Quanto mais você vincula sua intenção aos diferentes aspectos de sua vida, mais facilmente o cérebro pode recuperar as informações armazenadas sobre sua intenção. Isso ajuda você a acelerar o processo de manifestar sua intenção.

Como essa intenção se desenrola nas ações e interações cotidianas?

Quais são os indicadores concretos dessa intenção em sua vida? Como isso seria, de maneira prática, no dia a dia?

A ligação pode ser consciente ou inconsciente. Exemplos de ligação consciente podem incluir:

- Vincular sua intenção principal a intenções e objetivos aninhados.

- Perceber quando surgem oportunidades que podem ajudá-lo a realizar sua intenção.

- Vincular comportamentos e padrões habituais úteis de pensamento à realização de sua intenção.

- Alterar comportamentos e padrões habituais inúteis de pensamento e vincular os novos hábitos à realização de suas intenções.

- Vincular coisas que acontecem em sua vida, com intenções.

Exemplos de ligação inconsciente podem incluir:

- Vincular uma emoção positiva, por exemplo, felicidade ou excitação, à sua intenção.

✎ Seu cérebro inconsciente permanece vigilante para atividades e oportunidades que possam contribuir para a consecução de sua intenção.

Faça um esforço para procurar maneiras positivas de vincular tudo e qualquer coisa à sua intenção. Quanto mais links, melhor.

Resumo

Ao incorporar intenções em sua vida:

✎ Vários processos cognitivos são desencadeados em seu cérebro. Isso pode incluir ativar sua vontade e focar sua atenção por meio de um monitoramento estreito ou aberto.

✎ Mantenha-se vigilante e consciente do impacto de seus hábitos.

✎ Verifique e monitore sua prontidão.

✎ Recursos adicionais e estudos de caso que suportam este capítulo estão disponíveis no meu site: www. intention-matters.com

Referências

1. Richard J. Davidson, RJ and Lutz, A. (2008). Buddha's Brain: Neuroplasticity and Meditation. IEEE Signal Process Mag. 2008 Jan 1; 25(1): 176–174.

Capítulo 9

Passo 4: Agindo

"Não é bom o suficiente para que as coisas sejam planejadas - elas ainda precisam ser feitas; para a intenção de se tornar realidade, a energia deve ser lançada em operação. "

- Walt Kelly: comentarista político e filosófico.

Neste capítulo:

- ❧ *Como a intenção faz as coisas acontecerem*

- ❧ *Saber quando agir e quando deixar as coisas acontecerem*

- ❧ *Mantendo a dinâmica*

- ❧ *Etapa 4 estudo de caso*

- ❧ *Ferramentas e técnicas para ajudá-lo a tomar medidas para tornar sua intenção realidade.*

A Etapa 4, a etapa final da estrutura da IDEA, ajuda a reconhecer quando agir e fazer as coisas acontecerem no mundo real.

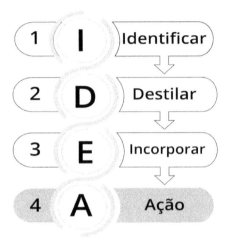

Figura 16: Etapa 4 da estrutura da IDEA © 2020 Intentional Creations

O passo 4 da fórmula da intenção é assumir a responsabilidade por suas ações. Isso inclui saber quando é hora de agir e saber quando deixar as coisas acontecerem e simplesmente esperar.

Agindo

Depois de definir uma intenção e sua mente e cérebro trabalharem juntos para ajudá-lo a alcançá-la, é hora de *agir*-passiva ou ativamente. Como mencionado anteriormente, esteja atento, procurando oportunidades que o ajudarão a atingir sua intenção.

Ao tomar uma ação, é importante monitorar e gerenciar a si mesmo para garantir que você se coloque sob pressão excessiva; isso apenas o impedirá de alcançar sua intenção. Transformar uma intenção em realidade pode levar tempo para surgir. Ficar desesperado ou exagerado ativará o circuito de proteção do cérebro primitivo e reduzirá sua capacidade de ser criativo, além de perceber quando surgem oportunidades que podem ajudá-lo a alcançar seus objetivos.

Perceber e aproveitar as oportunidades que surgirem o levará a tomar medidas, quando e na hora certa. Quando surgirem oportunidades, aproveite-as; não fique obcecado ou se preocupe demais com eles estarem 100% certos. Estatisticamente, há uma probabilidade muito maior de que sua decisão esteja certa do que errada.

Um estudo recente (1) explorou quantas calamidades imaginadas de uma pessoa realmente se materializaram. Oitenta e cinco por cento do que as pessoas estavam preocupadas nunca aconteceram. Dos quinze por cento que aconteceram, setenta e nove por cento das pessoas descobriram que poderiam lidar com a dificuldade melhor do que o esperado, ou a dificuldade lhes ensinou uma lição que vale a pena aprender. Isso significa que noventa e sete por cento do que você se preocupa não passa de uma mente medrosa que o castiga com exageros e percepções errôneas.

A ação é importante para que as coisas aconteçam, mas você deve ser aberto e flexível quanto ao que, quando e como, e evitar esforços excessivos.

Transformando intenções em realidade

Como resultado de ações, as coisas começarão a acontecer para você quando sua intenção começar a tomar forma no mundo real. É importante observar e celebrar conscientemente todas as pequenas vitórias que você tem no caminho para alcançar suas intenções.

Embora a análise excessiva e o excesso de pensamento devam ser evitados, é importante ter a sensação de que as coisas estão se movendo na direção certa, mesmo que algumas das peças do quebra-cabeça ainda estejam faltando.

Se você está convencido de que está seguindo na direção errada, use-a como uma oportunidade de aprendizado. Também vale a pena revisar a intenção que você definiu e verificar se ainda é adequado para você ou se precisa de alterações. Às vezes, ao agir e fazer as coisas acontecerem, você percebe o que não quer, ajudando-o a ficar mais claro sobre o que deseja.

O que você deve lembrar na Etapa 4

Na Etapa 3, uma vez que sua intenção parecia correta no nível do corpo e do estômago, você começou a conversar, incorporando suas intenções. O passo 4 é sobre a ação que leva as suas intenções a tomar forma no mundo real. Na realidade, as etapas 3 e 4 geralmente se fundem ou se sobrepõem. Para maior clareza, descrevo a Etapa 4 como uma etapa distinta. Nas próximas páginas, você encontrará algumas ferramentas e técnicas que podem ajudá-lo na Etapa 4 da estrutura da IDEA.

Não analise demais

Sua mente pode realmente atrapalhar a realização de suas intenções. Pode super intelectualizar o processo. Ele quer saber exatamente os sinais que demonstram se o que você está fazendo está 'trabalhando' ou não. Está sempre à procura dessa 'prova' e um motivo para se sentir melhor. Realmente não existe uma maneira infalível de determinar se 'está funcionando', mas é possível descobrir se você está no caminho certo, aproximando-se do que deseja.

Você pode estar se sentindo melhor. Embora essa possa não ser a resposta que você esperava, provavelmente é a maior pista, porque é difícil alcançar suas intenções quando se sente mal. Quando você está se sentindo bem - ou pelo menos melhor - na maioria das vezes, está se alinhando. Torna-se mais fácil perceber e apreender todas as coisas que você deseja que farão com que você sinta os mesmos bons sentimentos e, eventualmente, levará você à conquista de sua intenção. Sentir-se mal pode retardar ou interromper o processo. Seu estado de espírito e como você está se sentindo determinam tudo.

Mantendo o momento

Você pode perceber que surgem obstáculos e dificuldades. Essa é a parte do processo que pode realmente te surpreender e pode parecer desconcertante ou francamente desagradável. Na sua impaciência para alcançar sua intenção, você percebe que tomou a curva errada ou está no ônibus errado. Suas expectativas sobre como as intenções deveriam ser definidas são diferentes de como as coisas realmente são neste momento. Obstáculos e barreiras que surgem são frequentemente um sinal de avanço. Pare de se preocupar. Está certo. Superar obstáculos ajuda você a ver as 'lições' que precisa aprender mais rapidamente e a poder fazer as mudanças necessárias com menos dificuldade.

Permitindo que as coisas se desenrolem

Algumas intenções podem não se manifestar completamente de uma só vez; eles se desenrolam com o tempo. Muitas intenções aninhadas que você nem percebeu que eram intenções aninhadas podem começar a se manifestar.

Por exemplo, você configura um novo negócio e a intenção de obter cinquenta novos clientes. Na realidade, você pode não conseguir cinquenta no seu primeiro mês. Se você o fizesse, provavelmente se sentiria sobrecarregado. Em vez disso, você ganha cinco clientes aqui, três lá, cada um alcançando uma intenção aninhada menor que leva à conquista de sua intenção principal - até que, eventualmente, você tenha cinquenta novos clientes. Ao pensar que é possível conseguir cinquenta novos clientes, seu cérebro trabalha duro nos bastidores para ajudá-lo a perceber e aproveitar as oportunidades para conquistá-los. Você percebe oportunidades que não havia percebido antes.

Suas intenções 'quase' tomam forma, mas nunca se sentem plenamente realizadas. "Quase intenções" podem parecer intensamente frustrantes e atrapalhar sua mente. Você define uma intenção, apenas para descobrir uma situação que não é exatamente o que você queria. Tem alguns pontos positivos, mas existem alguns elementos que não se encaixam muito bem. Você recebe o emprego dos seus sonhos trabalhando com a empresa dos seus sonhos, mas o salário é terrível. Ou você consegue um emprego com um ótimo salário, mas as tarefas não são exatamente o que você gosta.

Essas coisas surgem para ajudá-lo a perceber que tem uma escolha. Eles podem ajudá-lo a solidificar exatamente o que você deseja e destacar quando as coisas não se encaixam na conta. Nunca há apenas uma chance na vida; as oportunidades são infinitas. Experimentar 'quase intenções' é frequentemente um sinal de que você está começando a criar sua realidade. O mais emocionante é que você decide se algo que aparece é algo que você quer ou não. Você consegue discernir.

Em resumo, pode ser frustrante não saber o que está acontecendo nos bastidores e se você é "íntimo" ou não. É normal desconfiar e tirar conclusões negativas. A verdade é que você realmente não pode saber tudo o que está acontecendo, e no momento em que sua intenção está bem à sua porta, apenas esperando para entrar.

Sentindo-se melhor, dificuldades surgindo, intenções aninhadas que você não sabia sobre surgir e muitas 'quase intenções' são sinais de que as coisas estão se movendo na direção que você deseja. É por isso que é tão importante aproveitar a jornada e encontrar maneiras de se sentir bem - agora.

Você definiu sua intenção e, se for adequado para você, ela virá de alguma forma. Pode parecer exatamente como você imaginou ou pode ser algo completamente diferente, mas parece tão bom ou até melhor.

Se você descobrir que a intenção para a qual você está trabalhando não é a ideal, tome medidas para refiná-la.

Se, depois de definir uma intenção e esperar que ela se concretize, começar a parecer que você não deseja o suficiente (ou não é o ideal para você ou descobre que deseja algo sutilmente diferente), precisa para refinar sua intenção. Volte para a Etapa 2 e tente alguns dos exercícios para ajudá-lo a refinar sua intenção.

Saber quando relaxar e permitir que aconteça quando acontecer

Em uma das minhas piadas favoritas, um homem está desesperado por dinheiro, por isso ora ao seu Deus: "Oh senhor, por favor me ajude a ganhar na loteria". Toda semana, ele reza da mesma forma, e toda semana ele não ganha. Isso continua por meses até que um dia Deus responde ao homem: "OK, eu vou ajudá-lo a ganhar na loteria, mas você precisa me encontrar no meio do caminho. Você precisa comprar um bilhete de loteria!"

Há uma linha tênue entre sentar e esperar que as coisas aconteçam e se esforçar demais.

O ato de sentar e simplesmente permitir que as coisas sejam como são ou se desenrolam em seu próprio tempo é um conceito estranho para muitos. Curiosamente, o ato de se esforçar demais pode ativar a resposta à ameaça do cérebro e levar a menos. Você entra na zona de ilusão, aquele lugar escuro onde você trabalha muito, mas alcança quase nada.

Quando está sob o controle da resposta à ameaça, o cérebro primitivo está no banco do motorista, o que reduz sua capacidade de pensar em termos gerais, de criatividade e de fazer as coisas de maneira diferente. O ato de abandonar o resultado e simplesmente permitir que as coisas sejam como são, diminui a resposta à ameaça. Quando você estiver calmo, poderá ver melhor o cenário geral e identificar oportunidades que podem levar à consecução de sua intenção.

Etapa 4 - Estudo de caso

Helen foi selecionada para o cargo de Diretora. Ela investiu todo o seu tempo livre e energia na preparação para a entrevista. Ela aplicou os princípios que aprendeu com Amy Cuddy sobre o impacto da linguagem corporal no desempenho e na percepção dos outros sobre sua capacidade. Ela estudou os requisitos da função e o que havia funcionado - e mais importante, não funcionado - para o diretor anterior na função. Ela estudou a dinâmica do poder em jogo na sala de reuniões. Ela elaborou uma estratégia e visão para a empresa avançar. Helen ficou encantada ao receber o papel.

Nos primeiros meses, lembrou-se da importância neurológica de perceber e celebrar sucessos ao longo do caminho. As coisas estavam indo na direção certa. Todo mês, ela pagava um pouco mais da hipoteca, trabalhando para não ter hipotecas, agora em quatro anos, em vez de seis. Sua compreensão das políticas em jogo na sala de reuniões a ajudou a unir e fortalecer o conselho como um todo. Suas realizações como membro do Conselho superaram seus sonhos mais loucos. Então, inesperadamente, o Presidente do Conselho morreu de repente, e o Conselho mergulhou em turbulências. Um novo presidente foi nomeado às pressas e não se viu com Helen. O prazer e o senso de domínio de Helen em seu novo papel começaram a se dissolver e sua confiança foi corroída dia após dia.

Depois de algumas semanas de profundo desconforto e desilusão, ela entrou em contato comigo para algum treinamento. Ajudei-a a revisitar sua intenção de se tornar a melhor líder que poderia ser e a ganhar uma renda suficiente para viver confortavelmente em sua casa e fazer as coisas na vida que ela adorava fazer. Ela reconheceu que agora só tinha três anos e meio para pagar sua hipoteca. Este trabalho não foi para sempre, apenas por alguns anos.

Ela sentiu como se um peso tivesse sido tirado de seus ombros ao reconhecer que era simplesmente um pequeno obstáculo a ser superado na busca de um objetivo pessoal e organizacional maior. Ajudei-a a identificar algumas maneiras possíveis de ajudar o Conselho a trabalhar juntos de maneira mais coesa. Na próxima reunião do Conselho, ela ajudou o Conselho a reconhecer a necessidade de alguma ajuda externa. Um consultor trabalhou com o Conselho para ajudá-los a avaliar o senso psicológico de segurança dentro do grupo e analisar a dinâmica de uma perspectiva cerebral, para que eles pudessem trabalhar juntos de maneira mais eficaz.

Três anos depois, a hipoteca de Helen foi totalmente paga. Seu trabalho em transformar a motivação dos funcionários e a eficácia organizacional através da introdução de uma liderança baseada em objetivos ganhou seu reconhecimento internacional e uma boa quantidade de cobertura da imprensa.

À medida que o interesse crescia em sua abordagem e experiências em liderança baseada em objetivos, ela passava um tempo cada vez maior ajudando outras organizações a se transformarem, algo que ela adorava fazer. Originalmente, quando ela estabeleceu suas intenções, Helen antecipou trabalhar menos para ter mais tempo para fazer as coisas que amava. Ela percebeu que agora amava tanto seu trabalho que não queria trabalhar menos. Ela já estava 'fazendo as coisas que amava'. Sua liberdade financeira recém-encontrada lhe permitiu fazer escolhas com base em seus desejos e não nas necessidades.

Helen havia alcançado suas intenções. As intenções se desenrolaram de uma maneira que ela não poderia ter antecipado e não teria alcançado apenas com objetivos. Isso demonstra a importância de identificar e destilar objetivos, mantendo-os levemente, permitindo que eles se incorporem e se desdobrem de maneiras inesperadas. Também demonstra a importância de agir quando surgem oportunidades, em vez de simplesmente esperar que a intenção se materialize magicamente.

A maneira de Helen não é a única maneira de trabalhar com a Etapa 4 da estrutura da IDEA. Para ver alternativas, consulte os outros estudos de caso no meu site.

Técnicas para apoiar a ação

Ao tomar medidas em relação às suas intenções, é necessário "manter suas intenções levemente" e evitar "esforços excessivos". Não pode ser enfatizado demais.

As seguintes ferramentas podem ser úteis no estágio 4 do processo da IDEA:

Vendo sua intenção tomando forma

Para usar uma frase bem usada, 'às vezes é difícil ver a madeira para as árvores'. Essa ferramenta pode ajudá-lo a monitorar de maneira mais ampla o fluxo e refluxo da sua jornada de intenção.

1. Desenhe uma linha do tempo ou diagrama para ilustrar graficamente sua jornada em direção à sua intenção.

    a.   Onde você está agora?

    b.   Onde você quer estar?

    c.   Como estava sua energia em cada ponto da sua linha do tempo?

    d.   Quando o progresso foi acelerado ou mais lento?

    e.   Qual foi a causa? Pessoal? Tecnológica?

2. Isso ajudará você a avaliar o progresso até o momento, bem como o que está retardando ou acelerando isso.

Ferramenta de ação de intenção dois: celebrando o sucesso

Na década de 1970, a sitcom da prisão da BBC na TV "Porridge", o preso Norman Stanley Fletcher lembra constantemente seu companheiro de cela Godber.

"Pequenas vitórias, Godber, pequenas vitórias". Pegue uma folha do livro de Fletcher observando celebrando as pequenas vitórias da vida cotidiana, à medida que suas intenções progridem.

Isso reforça em seu cérebro uma sensação de impulso e um

fator de bem-estar. Ele vincula informações, ajudando a reforçar sua intenção em seu cérebro e levando à liberação de hormônios do bem-estar. Celebrar cada pequeno sucesso pode parecer desnecessário ou trivial, mas tem um impacto poderoso em seu cérebro, acelerando sua jornada em direção à sua intenção.

Ferramenta de ação de intenção três: Colaborar

Se for adequado para você, procure oportunidades para colaborar. Trabalhe com um grupo seleto de pessoas para compartilhar ideias, superar barreiras e comemorar o sucesso. Você pode formar seu próprio grupo, participar do coletivo I-AM ou procurar orientação. Mais no capítulo 12.

Ferramenta de ação de intenção quatro: Traçando uma linha sob ela

Às vezes, é importante saber quando parar. Quando você trabalha com uma intenção há algum tempo, pergunte a si mesmo:

- ❧ Está terminado?

- ❧ Ele evoluiu ou mudou?

- ❧ Ainda está se desenrolando?

Se tiver terminado, deixe-o ir. Tire algum tempo para reconhecer isso e obtenha uma sensação de conclusão, algo que você raramente nota na vida cotidiana. Se ele mudou ou evoluiu, deixe de lado a intenção antiga e siga em frente com a nova, destilando-a (Etapa 2), se necessário. Se ele ainda estiver se desenrolando, deixe-o continuar assim.

Resumo

Ao agir para uma intenção desejada:

- Lembre-se de não se colocar sob pressão ou agonizar se ações potenciais estão certas ou erradas.

- Lembre-se de que, estatisticamente falando, há uma chance muito maior de que algo bom aconteça como resultado de uma ação, do que de dar errado. Calamidades imaginadas raramente se materializam.

- Às vezes, as intenções se materializam de maneiras que você não pode antecipar. Ser muito rígido em suas expectativas de como suas intenções se desdobrarão restringirá as oportunidades abertas para você. É por isso que é importante manter suas intenções de ânimo leve.

- Recursos adicionais e estudos de caso que suportam este capítulo estão disponíveis no meu site: www. intention-matters.com

Referências

1. Estudo apresentado no livro: Leahy, R.J. The Worry Cure: Seven Steps to Stop Worry from Stopping You. Harmony. Kindle Edition Nov. 2005

Parte III

Superalimentando sua intenção

Capítulo 10

Estar atento à sua intenção

"Atenção plena significa estar acordado.
Significa saber o que você está fazendo. "

- Jon Kabat-Zinn

Neste capítulo:

- 🦕 *O que é atenção plena?*

- 🦕 *Como desenvolver a atenção plena*

- 🦕 *Como a atenção plena ajuda a alcançar a intenção*

- 🦕 *Ferramentas e técnicas conscientes para ajudá-lo a trabalhar com intenção*

Ao longo deste livro, descrevi como a atenção plena fornece uma base sólida para trabalhar com a intenção. No começo de escrever este livro, cheguei à conclusão de que intenção = atenção plena + um. Com isso, quero dizer que, se você desenvolveu a capacidade básica de estar atento, a intenção leva sua vida a um nível totalmente novo. Nos últimos dez anos, ensinei a milhares de profissionais ocupados o básico da atenção plena e os equipado com as ferramentas e técnicas necessárias para conectar a consciência atenta ao cérebro.

Paralelamente, co-projetei e entreguei o Chartered Management Institute (CMI), reconhecido Workplace Mindfulness Training (WorkplaceMT) (1) e, no momento em que escrevi isso, ensinei mais de duzentos instrutores de mindfulness. Todos os dias, centrais o poder transformador da atenção plena. A atenção plena ajuda você a entender e gerenciar sua mente.

Nos últimos três anos pesquisando a intenção, tenho visto muitos exemplos de pessoas que trabalham poderosamente com a intenção, sem saber nada sobre a atenção plena. Você não precisa estar atento para trabalhar com intenção, mas isso lhe dá uma vantagem distinta. Neste capítulo, você descobrirá os conceitos básicos da atenção plena, que podem ajudá-lo a sobrecarregar suas intenções.

O que é atenção plena?

No seu nível mais básico, a atenção plena é uma forma de treinamento atencional. Ao cultivar a consciência de seus pensamentos, emoções e respostas baseadas no corpo (metacognição), seu autoconhecimento aumenta, permitindo que você se gerencie melhor e tome decisões mais sábias.

Muitas pessoas pensam que atenção plena é relaxamento e esvaziamento da mente. Nada poderia estar mais longe da verdade. Ao praticar a atenção plena, o objetivo não é relaxar, mas concentrar e manter a atenção. Muitas pessoas dizem que se sentem relaxadas depois de praticar a atenção plena. Se isso acontecer, é um subproduto de boas-vindas. As varreduras do cérebro mostram que o cérebro se torna mais ativo ao praticar a atenção plena; portanto, em vez de esvaziar a mente, você se torna mais consciente de tudo o que está acontecendo ao seu redor.

A atenção plena é uma ferramenta de autogerenciamento que ajuda a desenvolver sua capacidade de focar a atenção na situação em questão, com a intenção de observar os julgamentos que você faz e escolher como responder adequadamente. O desenvolvimento dessa capacidade ajuda você a se afastar das respostas automáticas ou mecânicas, observando com uma mente aberta o contexto e as diferentes perspectivas com mais clareza e tomando decisões inteligentes. Todo mundo tem a capacidade de estar atento, mas, como qualquer coisa que vale a pena, leva tempo, esforço e prática.

Intenção consciente

A atenção plena ajuda você a desenvolver uma consciência aprimorada do que está pensando, como está se sentindo e o que está acontecendo em seu corpo a qualquer momento. Toda vez que você tem um pensamento, ele desencadeia uma emoção e uma resposta no corpo. A tensão no corpo pode afetar seu estado emocional e seus comportamentos. A cada momento de cada dia, a interação entre pensamentos, emoções e sua fisiologia molda suas ações, geralmente em nível inconsciente. O desenvolvimento da metacognição permite que você saia do piloto automático. Fazer isso permite que você tome decisões conscientes e responda com mais sabedoria. Ele ajuda a minimizar as respostas exageradas do seu cérebro primitivo aos desafios da vida, ajudando a manter um ótimo estado de espírito por mais tempo. Esse estado mental ideal permite que você trabalhe em direção à sua intenção de maneira mais consciente, conforme detalhado no diagrama abaixo.

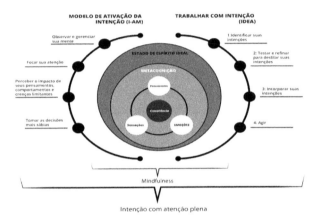

Figura 17: Como a atenção plena ajuda você a trabalhar com intenção

© 2020 Intentional Creations

Metacognição é a capacidade de observar o que está acontecendo em sua mente. Permite que você se torne mais consciente de suas tendências e respostas automáticas. Essa consciência permite que você mantenha um estado mental ideal - para tomar decisões e agir adequadamente com base na realidade do momento presente, em vez de ser sequestrado por fortes emoções e impulsos desencadeados por experiências passadas e previsões do futuro, geralmente levando a ações e reações inadequadas.

Um **estado mental ideal** pode ser descrito como uma sensação de tranquilidade quando você se sente seguro e protegido, e seu corpo e mente estão funcionando nos estados ideais. Em outras palavras, é quando você está livre de ansiedade, raiva e medo e se sente seguro, feliz e confortável com o ambiente. Esse estado permite que você seja o melhor que puder e alcance todo o seu potencial.

Consciência consciente envolve estar ciente dos aspectos da própria mente. Você deve se lembrar que, no capítulo 2, descrevi como o cérebro gosta de automatizar tarefas. Isso é feito para ajudar a economizar energia e liberar seu neocórtex com fome de energia para planejar, sonhar, criar ou refletir. Embora seja energeticamente eficiente, o piloto automático tem uma desvantagem. Processos mentais desatualizados e inúteis podem estar em execução no nível subconsciente. A conscientização ajuda a reconhecê-las e substituí-las por padrões mais adequados de pensamento e comportamento.

O que eu mais amo na atenção plena é a sua poderosa qualidade transformadora. Em mais de trinta anos de desenvolvimento de líderes, provou ser a ferramenta mais poderosa com a qual já trabalhei. É mil vezes mais poderoso do que qualquer programa de MBA, ferramenta psicométrica ou moda de desenvolvimento gerencial que eu já encontrei. Ao aprender a observar a mente e seus padrões, ele permite que você faça escolhas. Ele permite que você mude e não seja mais um escravo dos padrões automáticos do seu cérebro.

Componentes principais do treinamento da atenção plena

Existem muitas versões diferentes do treinamento da atenção plena. Os programas de treinamento de atenção plena incluem:

- ❧ MBSR: Redução do Estresse Baseada na Atenção Plena - originalmente desenvolvida para pessoas que sofrem de dor crônica.

- ❧ MBCT: Terapia Cognitiva Baseada na Atenção Plena - originalmente desenvolvida para reduzir a depressão.

- ❧ WorkplaceMT: treinamento para conscientização no local de trabalho desenvolvido para profissionais ocupados que ajudam a produtividade e bem-estar.

Todos os programas são amplamente baseados nos mesmos princípios e consistem em prática formal, educação psicológica e prática informal cotidiana.

Princípios da atenção plena

Vários princípios básicos sustentam o treinamento da atenção plena:

- ❧ **Intenção, Atenção e Atitude**. A atenção plena começa com a *intenção* de desenvolver habilidades para que você possa agir com plena consciência. Você presta *atenção* aos seus pensamentos, emoções e quaisquer sensações físicas que surjam. Você adota uma *atitude* de bondade, curiosidade, abertura e aceitação do que surge.

- **Aceitar** e se mover através das coisas ao invés de julgar. Quando você faz um julgamento sobre algo, desencadeia uma reação em cadeia de pensamentos, emoções e reações físicas no corpo que podem piorar as coisas do que realmente são.

- **Estar presente** em oposição à viagem no tempo mental - isso permite que você tome decisões com base em fatos do momento presente, em vez de suposições ou previsões do futuro.

- Afastar-se dos emocionalmente motivados **padrões inconscientes de pensamento e comportamento** que podem não estar lhe servindo bem.

- Ser **aberto e curioso** - abordar o mundo com curiosidade infantil.

Temas psicopedagógicos do treinamento da atenção plena

- **Gerenciamento de atenção** - Percebendo um pensamento instigante e desenvolvendo a capacidade de recuperá-lo - melhorando seu foco e atenção.

- **A conexão mente-corpo**. Toda vez que você pensa, desencadeia uma emoção e uma resposta corporal. A atenção plena ajuda você a sintonizar pensamentos carregados de emoção e a resposta do corpo. Em vez de o corpo atuar como um amplificador, ele pode se tornar um radar emocional sensível. Isso fornece um sistema de alerta precoce alertando você para a infelicidade, ansiedade e estresse quase antes que eles surjam.

- **Esforço excessivo** - Quando as coisas não estão funcionando, muitas pessoas se esforçam cada vez mais até começarem a se esforçar demais. Esforçar-se demais fecha a mente estreitando o foco da perspectiva, inibe a criação de pensamentos e, finalmente, leva você à exaustão.

- **Pensamentos não são necessariamente fatos** - Observar pensamentos como eventos mentais. Como seres humanos, há uma tendência de tratar os pensamentos como fatos e usá-los como base para suas decisões e ações. Na realidade, eles são simplesmente eventos mentais criados por sua mente. Tratá-los como tal, com a atitude de que são simplesmente pensamentos que podem estar certos ou errados, permite que você dê um passo atrás e tome melhores decisões.

- **Aproximando-se e explorando as dificuldades** ou os desafios que você encontra em sua vida - muitas vezes você gasta mais energia afastando ou evitando dificuldades do que explorar, aceitar ou lidar com isso.

- **Ser gentil consigo mesmo** - é impossível para o cérebro operar em luta ou fuga ('algo ruim está prestes a acontecer, preciso me proteger') e estar em um estado de confiança ('tudo está bem, nada vai prejudicar'). eu ') ao mesmo tempo. O ato de ser gentil consigo mesmo ou de aceitar seus erros sem ficar frustrado ou com raiva atua como um interruptor rápido para a resposta de luta ou fuga. Isso coloca seu cérebro superior no banco do motorista, permitindo que você assuma o controle consciente do que está acontecendo.

Exercícios formais com base na meditação

Muitas pessoas cometem o erro de pensar que ler um livro ou assistir a um vídeo sobre atenção plena as deixará atentas. Isso simplesmente não funciona. A capacidade de estar atento é desenvolvida através do tempo gasto praticando exercícios muito específicos baseados em meditação. Pesquisas demonstram que os benefícios que você experimenta aumentam na correlação direta com o tempo gasto praticando (2,3). Se você não tem muito tempo de sobra, a boa notícia é que pesquisas recentes (4) sobre atenção ao local de trabalho sugerem que a atenção pode ser desenvolvida com apenas dez a quinze minutos de prática por dia.

Se você aprender a atenção plena por meio de um curso ministrado presencial, de um livro, de um curso on-line ou de treinamento 1:1, você receberá gravações para orientá-lo nas práticas formais. Para que o treinamento de atenção plena seja eficaz, ele se desenvolve semana após semana, de modo que os exercícios práticos formais devem ser praticados na ordem correta. Idealmente, cada um dos exercícios deve ser praticado pelo menos uma vez por dia durante sete dias antes de avançar para o próximo exercício. Os exercícios de prática formal do treinamento em atenção ao local de trabalho (WorkplaceMT) são os seguintes:

- ❧ Semana 1: Atenção plena na respiração.

- ❧ Semana 2: Body Scan.

- Semana 3: Movimento consciente + atenção curta à respiração e ao corpo.

- Semana 4: Atenção plena a sons e pensamentos.

- Semana 5: Aproximando-se de dificuldades.

- Semana 6: Cultivando a bondade.

O treinamento de atenção MBCT e MBSR segue um padrão amplamente semelhante, ensinado por uma duração de oito semanas.

Prática de atenção plena informal diária

A atenção plena diária informal ou cotidiana pode ser praticada em qualquer lugar, a qualquer hora. Simplesmente concentre toda a atenção no que está fazendo por alguns minutos (mais tempo, se tiver tempo). As oportunidades informais de praticar a atenção plena podem incluir:

- Tomar banho com atenção - sentindo as sensações da água em sua pele, a textura e o perfume de qualquer xampu ou sabonete que você usa.

- Beber os primeiros goles (ou a xícara inteira) de chá ou café com atenção.

- Comer as primeiras mordidas (ou prato inteiro) de alimentos com atenção.

- Exercitar-se conscientemente: perceber ao nadar, andar de bicicleta, correr ou usar equipamentos de ginástica repetitivos exatamente como o corpo está se sentindo e o que está acontecendo momento a momento - por alguns segundos ou minutos (ou o tempo todo).

Pesquisa e aplicações de atenção plena

Ao contrário de muitos programas de treinamento em liderança e gestão que têm pouca ou nenhuma pesquisa independente para demonstrar sua eficácia, o treinamento de mindfulness é sustentado por mais de 5200 estudos publicados em um período de quarenta anos.

Nos últimos anos, os pesquisadores voltaram sua atenção para o impacto da atenção plena em uma população ocupada. Até o momento, foram publicados cerca de 260 trabalhos de pesquisa sobre o impacto da atenção plena nos funcionários. Uma recente meta-análise (5) de pesquisa sobre mindfulness no trabalho concluiu que existem evidências robustas de que mindfulness melhora o desempenho, o relacionamento e o bem-estar dos funcionários.

Além de estudos que medem os resultados do treinamento, também existem estudos que tentaram mapear as alterações no cérebro após praticar a atenção plena por oito semanas ou mais. Esses estudos sugerem que tempos de prática modestos podem mudar fundamentalmente a maneira como o cérebro funciona.

As ressonâncias cerebrais de ressonância magnética mostram que apenas oito semanas de prática da atenção plena encolhem a amígdala (o centro de "luta ou fuga" do cérebro). Essa região primária do cérebro, associada ao medo e à emoção, está envolvida no início da resposta do corpo ao estresse. À medida que a amígdala diminui, o córtex pré-frontal - associado a funções cerebrais de ordem superior, como consciência, concentração e tomada de decisão - aumenta de tamanho.

O treinamento da atenção muda a conectividade funcional entre essas regiões. Pesquisas sugerem que a conexão entre a amígdala e o resto do cérebro fica mais fraca, enquanto as conexões entre as áreas associadas à atenção e à concentração ficam mais fortes.

A escala dessas mudanças se correlaciona com o número de horas de prática da atenção plena, então você precisa trabalhar nisso. O trabalho de Adrienne Taren, pesquisadora que estuda a atenção plena na Universidade de Pittsburgh, concluiu que "a imagem que temos é que a prática da atenção plena aumenta a capacidade de recrutar regiões de córtex pré-frontal de ordem superior, a fim de regular negativamente o cérebro de ordem inferior. atividade ". Em termos leigos, suas respostas primárias ao estresse são substituídas por respostas mais ponderadas.

Os estudos também agora estão começando a mostrar que a atenção plena e a meditação podem ter um impacto no nível genético (6). Há uma redução no encurtamento dos telômeros, as tampas protetoras no final dos cromossomos, o que significa essencialmente que o declínio relacionado à idade é reduzido. Isso também foi visto na estrutura do cérebro. Há menos declínio relacionado à idade no tamanho do hipocampo - a região da memória - e menos afinamento cortical no lobo frontal (7,8,9) naqueles que praticam meditação regularmente. A prática da atenção plena também melhora seu sistema auto-imune (10).

Essas investigações neurocientíficas apontam para o modo como o envolvimento e o treinamento de sua mente podem mudar seu cérebro para melhor, ajudando-o a trabalhar de maneira mais eficaz com a intenção.

Como a atenção plena apoia a conquista da intenção

Ao trabalhar com a intenção, talvez seja necessário substituir hábitos e padrões de pensamento e comportamento bem estabelecidos. Praticar a atenção plena ajuda a reconhecer hábitos, alterando-os se eles não estiverem mais lhe servindo bem.

Usando a atenção plena para perceber seus hábitos

Os hábitos são formados no cérebro repetindo ações e / ou pensamentos repetidas vezes. Ao fazer isso, você forma vias neuronais físicas robustas no cérebro, facilitando a repetição do pensamento ou ação no futuro. Os hábitos são armazenados nas áreas mais primitivas do cérebro, o que significa que podem ser repetidos sem pensamento consciente. A vantagem disso é que é uma resposta testada e comprovada que funcionou no passado. Também é rápido e energeticamente eficiente para repetir.

A desvantagem é que as respostas que podem ter lhe servido bem no passado nem sempre podem ser apropriadas às situações do momento presente. Apesar disso, especialmente quando está sob pressão, seu cérebro irá adotar as antigas formas de pensar e fazer as coisas muito antes que o cérebro superior consciente entre em ação e você tenha a oportunidade de questionar sua adequação.

Praticar a atenção plena aprimora sua consciência de seus padrões únicos de comportamento e hábitos. Essa conscientização é o primeiro passo para substituir hábitos inúteis por outros mais adequados, através do poder da neuroplasticidade.

Usando a atenção plena para mudar sua mentalidade

Alterar sua mentalidade pode mudar fisicamente seu cérebro. De muitas maneiras, você cria sua própria realidade e se torna o que pensa. Se você deseja trabalhar efetivamente com intenções, precisa se tornar mais consciente dos seus pensamentos e do impacto deles.

Por exemplo, você decide que deseja ganhar uma promoção e é convidado para uma entrevista de emprego. Se, em um nível inconsciente, você tiver crenças autolimitadas, como "não entendo" ou "sempre estrago entrevistas" ou "não tenho experiência suficiente", isso terá impacto na maneira como você se prepara para a entrevista. Isso afetará sua presença na entrevista e a maneira como você responde às perguntas. Isso, por sua vez, terá impacto na maneira como seus entrevistadores percebem você e suas crenças sobre sua capacidade e desejo de garantir a promoção.

Se você estivesse atento ao ser convidado para uma entrevista, estaria ciente de sua intenção de ganhar uma promoção. Você notaria pensamentos ou emoções e / ou tensões no corpo. Você pode explorar essas brincadeiras com uma mente aberta, identificando o que está desencadeando essa resposta. Você se tornaria consciente de pensamentos de indignidade, de não se sentir preparado ou de medo causado por más experiências em entrevistas anteriores. Você reconheceria que esses pensamentos não são necessariamente fatos. Você se concentraria em fatos do momento presente como 'Fui convidado para a entrevista', em vez de viajar no tempo para o passado ('fiz uma bagunça na entrevista no ano passado') ou no futuro ('Ficarei nervoso em a entrevista e parecer um idiota ').

Na entrevista, você se lembraria da sua intenção de ganhar promoção. A atenção plena ajudaria você a permanecer mais presente e calmo, permitindo que você considerasse e respondesse melhor às perguntas.

A atenção plena à intenção aponta diretamente para uma maneira radicalmente diferente de viver e se relacionar. Mas começa com algumas práticas simples (mas surpreendentemente desafiadoras), algumas das quais são detalhadas mais adiante neste capítulo.

Como desenvolver a atenção plena

Pesquisadores acreditam que são necessárias seis a oito semanas para desenvolver e incorporar uma nova habilidade em seu cérebro. Desenvolver a atenção plena também não é instantâneo; leva um pouco de tempo e esforço. Quanto mais você pratica, mais incorporado ele se torna em seu cérebro e mais fácil se torna consciente dos desafios da vida.

Mindfulness é desenvolvido através de uma combinação de *psicoeducação* (modelos psicológicos práticas para ajudá-lo a gerenciar sua mente), *prática formal* (exercícios baseados em meditação muito específicos projetados para ajudá-lo a se aproximar e explorar momento presente realidade, em vez de ignorá-lo, evitando -lo, escapar dela) e *mindfulness informal todos os dias* (prestando alguma atenção atento para as coisas que você faz todos os dias).

Para começar a desenvolver a atenção plena, você pode:

1. Frequentar um curso. Encontre um treinador:

Modelo clínico de oito semanas MBSR ou MBCT: http://bemindful.co.uk/learn-mindfulness

Mindfulness focado no trabalho de seis semanas no WorkplaceMT: http://workplacemt.com/trainers

2. Ensine a si mesmo a atenção plena, seguindo as orientações de um livro e usando MP3s pré-gravados:

Um curso geral de oito semanas é descrito no livro: Williams, M. e Penman, D. Mindfulness, Um Guia Prático para Encontrar a Paz em um Mundo Frenético. Piatkus. 2011.

Um curso de seis semanas projetado para profissionais pode ser encontrado em: Adams, J. Mindful Leadership for Dummies. John Wiley & Sons. 2016. Ensine a si mesmo através de um curso on-line.

3) O Be Mindful Online tem sido o foco de um robusto estudo acadêmico. Pode ser altamente eficaz se você o seguir, conforme recomendado pelos projetistas do curso. Visite https://ww.bemindfulonline.com / para obter mais detalhes.

4) Aprenda a atenção plena através do treinamento 1:1. Executivos, pessoas ocupadas e pessoas com necessidades muito específicas geralmente se beneficiam do treinamento 1:1 para desenvolver a atenção plena. Idealmente, as reuniões devem ser cara a cara, mas podem ser facilitadas por plataformas de reunião baseadas na Web, como Skype ou GoToMeeting. A Dra. Tamara Russell e eu temos muita experiência no ensino da atenção plena dessa maneira. Podemos ser contatados através das páginas de serviços do meu site abaixo. Alguns treinadores do WorkplaceMT também oferecem treinamento 1: 1. Visita www.workplacemt.com para mais detalhes.

Ferramentas e técnicas conscientes para ajudá-lo a trabalhar com a intenção

Existem centenas de maneiras pelas quais você pode usar a atenção plena para ajudá-lo a aplicar as quatro etapas da estrutura da IDEA. Para os leitores que já têm experiência de atenção plena, aqui estão algumas ideias para você começar.

Se você deseja usá-los, as gravações em mp3 estão disponíveis no meu site.

Exercício 1: sintonizando seus pensamentos.

Nas etapas 1 e 2 da estrutura da IDEA, pode ser útil identificar quaisquer pensamentos inconscientes associados ao seu cérebro com a intenção com a qual você está trabalhando. Se você deseja usar o MP3, exercite o IM3 para guiá-lo.

1. Defina a intenção de praticar e estar totalmente presente com o que surgir.

2. Sente-se em uma cadeira ereta, em uma posição que incorpore sua intenção de praticar a atenção plena (configuração postural da atenção plena normal).

3. Passe cinco minutos realizando um mini exercício de "atenção plena na respiração" ou um exame de varredura corporal.

4. Em seguida, lembre-se de sua intenção e mantenha-a levemente em sua imaginação.

5. Observe quaisquer pensamentos que surjam, por mais aleatórios.

   a. Evite excesso de análise ou esforço excessivo.

   b. Observe quando sua mente divaga, gentilmente e gentilmente trazendo-a de volta.

6. Após cinco minutos, deixe sua intenção

7. Nos minutos finais, focalize novamente sua atenção, trazendo-a de volta às sensações do corpo. Evite o julgamento - simplesmente observe. Quando estiver pronto, abra os olhos se eles ainda estiverem fechados.

8. Anote os pensamentos que surgiram.

9. Observe quaisquer temas que surjam. O que isso diz a você? Você precisa alterar ou refinar sua intenção

de alguma forma? Há alguma crença autolimitada atrapalhando?

Exercício 2: Usando seu corpo como um radar.

Essa é uma ótima maneira de testar sua intenção em um nível intestinal para evidenciar quaisquer bloqueios inconscientes de sua intenção. Você pode usá-lo nas etapas 1 e 2 da IDEA para identificar e destilar a intenção. Da mesma forma, você pode usá-lo na Etapa 3 para testar se uma oportunidade potencial que surgir parece correta. Se você deseja usar o MP3, exercite o IM4 para guiá-lo.

1. Siga a parte 1-4 do Exercício 1 acima.

2. Observe quaisquer sensações que surjam no corpo. Isso pode incluir tensão, dor física leve, sensação de borboletas no estômago, aumento dos batimentos cardíacos ou algo mais.

3. A menos que as sensações sejam extremamente intensas, evite tentar corrigi-las ou alterá-las. Simplesmente observe a resposta do seu corpo quando você mantiver sua intenção em mente.

4. Siga as partes 5, 6 e 8 do Exercício 1 acima.

Exercício 3: Criando espaço para ver claramente suas intenções

Se você simplesmente não souber qual é sua intenção na Etapa 1 da estrutura da IDEA, este pode ser um ótimo lugar para começar. Se você deseja usar o MP3, exercite o IM4 para guiá-lo.

1. Coloque um bloco de notas e uma caneta ao seu lado. Instale-se em uma cadeira, conforme detalhado no Exercício 1, Etapa 2. Como alternativa, deite-se (mas tome cuidado com o perigo de adormecer!)

2. Pratique qualquer exercício de consciência que achar mais calmo, idealmente por cerca de dez minutos. A atenção plena na respiração, a varredura corporal ou a atenção plena nos sons funcionam bem aqui

3. Depois de se sentir satisfeito, você estará se perguntando algumas questões específicas e esperando para ver o que acontece. Algumas pessoas simplesmente gostam de fazer perguntas, enquanto outras preferem usar imagens. Se você gosta de usar imagens visualizadas, tente entrar em um cenário histórico ou em um espaço semelhante a um templo. Você pode imaginar um ambiente clínico com uma bancada de trabalho usada para examinar as coisas. Você pode ir a um lugar que considere seguro ou especial de alguma forma, como uma caverna, um cenário de floresta ou uma área isolada da natureza. Isso não é obrigatório, mas algumas pessoas acham útil.

4. Faça a si mesmo a pergunta "o que eu mais quero?" Aguarde pacientemente para ver se surge uma resposta. Se houver, reconheça e repita a pergunta. Veja se algo mais acontece. Repita até que nada mais apareça.

5. Faça a si mesmo a pergunta "do que eu mais preciso?" Aguarde pacientemente para ver se surge uma resposta. Repita como acima até que nada mais apareça.

6. Quando estiver pronto, prepare-se para deixar seu 'lugar especial' se estiver usando um e, quando estiver pronto, abra suavemente os olhos se eles ainda estiverem fechados. Passe um pouco de tempo fazendo a transição do seu estado meditativo.

7. Anote todas as respostas que você lembra, sublinhando temas ou ideias comuns que pareciam mais fortes ou que mais o excitavam.

Exercício 4: Trabalhando com bloqueios e barreiras

Nas etapas 3 e 4 da estrutura da IDEA, você pode encontrar bloqueios ou barreiras ou um sentimento de frustração - porque pode sentir que nada está acontecendo. Você pode até sentir que não está fazendo corretamente ou que falhou. Este exercício pode ajudá-lo a ter perspectiva e decidir o caminho a seguir. Se você deseja usar o MP3, exercite o IM6 para guiá-lo.

1. Identifique a dificuldade com a qual você deseja trabalhar. A dificuldade pode ser a sensação de que nada está acontecendo. Talvez as coisas não estejam indo como planejadas ou como esperado? Ou talvez você esteja conseguindo o que pretendia, mas agora sente que não deseja?

   Qualquer que seja o seu bloqueio ou barreira, defina

a intenção do exercício de explorá-lo com a mente aberta e aceite o que surgir. *Nota: é importante que você não defina a intenção de 'resolver o problema' ou 'obter uma solução'. Fazer isso pode desencadear sua resposta à ameaça, o que, por sua vez, inibirá sua criatividade e capacidade de ver o quadro geral.* Tenha cuidado para não permitir que seus gremlins internos digam que não funcionará ou que você não será bom nisso

2. Siga as etapas 1 e 2 do exercício 3 acima

3. Lembre-se da barreira ou desafio que você está enfrentando.

    a. Se você é visual, passe algum tempo explorando como ela é.

    b. Se você sentir mais uma "sensação" da dificuldade, explore todos os sentimentos que surgirem (emocional ou físico).

    c. Observe quaisquer pensamentos, emoções ou sensações físicas específicas surgindo.

4. Repita 3a-c acima várias vezes à medida que se aproxima cada vez mais da sua dificuldade. Observe se algo muda, pois pode ou não ser alterado.

5. Abandone a dificuldade e dedique alguns minutos às sensações físicas do momento presente que surgem à medida que você respira.

6. Redirecione sua atenção para o seu corpo e tenha uma noção de como todo o seu corpo se sente nesse momento. Abra os olhos se eles ainda estavam

fechados.

7. Use todas as informações obtidas para informar ações futuras ou decida um curso de ação alternativo.

Resumo

- ✎ A atenção plena é uma forma de treinamento atencional. Ao cultivar a consciência de seus pensamentos, emoções e respostas baseadas no corpo (metacognição), seu autoconhecimento aumenta, permitindo que você se gerencie melhor e tome decisões mais sábias.

- ✎ O cultivo da metacognição permite interromper o piloto automático. Fazer isso permite que você tome decisões conscientes e responda com mais sabedoria. Esse estado mental ideal permite que você trabalhe em direção à sua intenção de maneira mais consciente.

- ✎ Ao trabalhar com intenção, pode ser necessário substituir hábitos e padrões de pensamento e comportamento bem estabelecidos. A prática da atenção plena ajuda você a reconhecer hábitos e a alterá-los se eles não estiverem mais lhe servindo bem.

- ✎ Recursos adicionais e estudos de caso que suportam este capítulo estão disponíveis no meu site: www. intention-matters.com

Referências

1. O WorkplaceMT é uma abordagem baseada em evidências para o aprendizado da atenção plena que foi avaliada, pesquisada e refinada ao longo de quatro anos. Começou a vida no Oxford Mindfulness Center, com base no livro de Mark Williams e Danny Penman, "Mindfulness: Um guia prático para encontrar a paz em um mundo frenético" (Piatkus, 2011), mas foi adaptado e refinado para enfrentar os desafios do mundo. local de trabalho moderno. É um programa robusto e padronizado de mindfulness desenvolvido especificamente para o local de trabalho. Visite http://workplacemt.com para obter mais informações. O programa de treinamento de seis semanas é detalhado em Juliet Adams, Mindful Leadership for Dummies (2016).

2. Jha, Amishi., et al. (2015). Minds "At Attention": Mindfulness Training Curbs Attentional Lapses in Military Cohorts PLoS One.

3. Jha, Stanley, et al. (2016). Practice is protective: mindfulness training promotes cognitive resilience in high-stress cohorts Mindfulness 8(1) · January 2016

4. Mackenzie et al. (2006). A brief mindfulness- based stress reduction intervention for nurses and nurses' aides Applied Nursing Research ANR. 2006 May;19(2):105-9.

5. Good, Lyddy, Glomb et al. (2015). Contemplating Mindfulness at Work: An Integrative Review (2015). Journal of Management, 42(1), 114-142.

6. Epel, Daubenmier, Moskowitz, Folkman, & Blackburn. (2009). Can meditation slow rate of cellular ageing? Cognitive stress, mindfulness, and telomeres. Annals of the New York Academy of Sciences. 2009 Aug;1172:34-53.

7. Lazar et al. (2005). Meditation experience is associated with increased cortical thickness. Neuroreport. 2005 Nov 28; 16(17): 1893–1897.

8. Britta Holzel et al. (2011). Mindfulness practice leads to increases in regional brain gray matter density. Psychiatry Res. 2011 Jan 30; 191(1): 36–43.

9. Desbordes et al. (2012). Effects of Mindful-attention and Compassion Meditation Training on Amygdala Response to Emotional Stimuli in an Ordinary, Non-meditative State (2012). Frountiers in Human Neuroscience Nov 2012

10. Davidson & Kabat-Zinn. (2004). Alterations in brain and immune function produced by mindfulness meditation. Psychosomatic Medicine. 2003 Jul- Aug;65(4):564-70.

Capítulo 11

Superando barreiras comuns

"O alcance do que pensamos e fazemos é limitado pelo que deixamos de notar. E porque não percebemos que não percebemos, não há nada que possamos fazer para mudar até percebermos como a falta de observação molda nossos pensamentos e ações."

- RD Laing

Neste capítulo:

- ❧ *Crenças limitantes*

- ❧ *Expectativas rígidas que impedem você*

- ❧ *Hábitos inúteis, incluindo procrastinação e autossabotagem*

- ❧ *Gerenciando suas emoções*

- ❧ *Superando contratempos*

Trabalhar com intenções pode ser uma experiência altamente gratificante. Existem algumas barreiras que às vezes aparecem, criando uma "lacuna entre intenção e ação".

Neste capítulo, descreverei várias maneiras pelas quais as pessoas são tiradas da pista e o que você pode procurar (e mitigar) para poder trabalhar com intenções.

Manifestações imaturas de suas intenções

Você definiu uma intenção e, quando ela chegou, não é o que você queria? Você pode ter experimentado uma manifestação imatura de uma intenção. Como o nome sugere, é uma intenção que é uma versão juvenil do que você deseja. Ela fornece parte do que você deseja, mas não está totalmente formada ou o pacote completo. Talvez você tenha a intenção de viver em uma casa bonita no campo. Você encontra uma casa, mas acaba tendo terríveis vizinhos úmidos e barulhentos ou por baixo de uma rota de vôo movimentada. Sua intenção entregou a você uma casa de campo no país, mas não oferece o estilo de vida idílico do país que você estava antecipando.

As chances são de que você defina a intenção de encontrar uma casa com número X de quartos, na área Y, por um orçamento de R$ Z. O que você não especificou foi a condição da cabana e a necessidade de paz e tranquilidade.

É sempre um ato de equilíbrio complicado quando você define uma intenção. Você precisa ser específico o suficiente sobre as coisas que realmente importam, mas evite restringir a formação de sua intenção sendo excessivamente específico.

Esta é uma decisão de julgamento e vem com experiência. Se você encontrar manifestações imaturas de suas intenções, trate-as como uma oportunidade de aprendizado, não como um fracasso.

Crenças limitantes

Suas crenças limitantes geralmente são inconscientes. As crenças limitantes podem potencialmente se manifestar das seguintes maneiras:

- Dar desculpas.

- Reclamar sobre as coisas.

- Entregar-se a pensamentos negativos.

- Entregar-se a hábitos inúteis.

- Conversar consigo mesmo de maneiras limitadoras e inúteis.

- Saltar para conclusões e / ou fazer suposições.

- Preocupar-se com o fracasso ou cometer erros.

- Preocupar-se incontrolavelmente sem motivo aparente.

- Procrastinação.

- Perfeccionismo.

- Sentir uma sensação de resistência.

Digamos que você tenha a intenção de ganhar 20.000 reais extras neste ano. No entanto, ao pensar nesse objetivo, você começa a se sentir um pouco incerto e desconfortável. É exatamente aqui que você encontrará suas crenças limitantes. Essas são as crenças que você precisa trazer à consciência. Você encontrará um exercício para ajudá-lo a revelar suas crenças limitantes na seção final deste capítulo, 'superando barreiras'.

Expectativas rígidas

Conforme enfatizado ao longo deste livro, as intenções exigem que você aplique uma abordagem mais suave e flexível. Você está trabalhando no momento presente com uma aspiração por um futuro diferente. Se você se apegar muito a um resultado específico, criou essencialmente uma meta. Os objetivos são mais inflexíveis e menos dinâmicos que as intenções.

Expectativas excessivamente rígidas oferecem visão de túnel e cegam a miríade de avenidas possíveis que podem levá-lo ao seu destino.

Sentir vontade de planejar é uma coisa muito natural a se fazer. O cérebro odeia a incerteza e pode tratá-la como uma ameaça. Seu cérebro o levará a planejar, porque isso cria uma sensação de certeza e previsibilidade que acalmam o cérebro e fazem com que ele se sinta seguro e sob controle. Use as etapas 1 e 2 da estrutura do IDEA para verificar se sua intenção é realmente algo que você deseja em um nível profundo e que acredita ser possível.

É bom ter um plano para você começar, então, por todos os meios, coloque alguns planos básicos em prática. O importante é que você faça algo para começar e criar algum impulso. Não importa se você acaba indo na direção errada por um tempo, porque isso irá direcioná-lo na direção certa. Segure levemente a parte de sua intenção e mantenha a flexibilidade cognitiva; isso permitirá que você perceba e aproveite as oportunidades que você talvez não descobrisse se fosse excessivamente rígido desde o início.

Se você está lendo isso agora e acaba de descobrir que está sendo impedido por expectativas excessivamente rígidas - parabéns!

Você notou! Agora você está consciente do que está acontecendo e pode fazer algo a respeito.

Abandonar as expectativas é algo que melhora com a prática. Pode ser difícil se você tiver fortes hábitos de "controle" e for, é claro, algo que pode ser particularmente difícil no ambiente de trabalho moderno, onde há uma forte ênfase em resultados e certeza.

Lembre-se: *"Esperar é acreditar que há apenas um passado; deixar ir é saber que há um futuro."* (1)

Deixar ir exige que você confie que estará bem nesse momento futuro, não importa o que aconteça - se sua intenção dá frutos ou não.

Procrastinação

Esperar a hora certa é um pensamento comum que pode surgir quando você está considerando o que realmente deseja e como gostaria de chegar lá. Às vezes, você deseja esperar até que TODAS as condições sejam adequadas para o seu grande sonho e plano para ser iniciado. Depois de um tempo, você perceberá que o tempo pode nunca estar totalmente "certo" e, enquanto isso, a vida já passou. Agora é o único momento que você tem, e mesmo que haja apenas um pequeno passo na direção de sua intenção, isso pode ser suficiente para fazer a bola rolar.

Com intenções, a bússola está definida, mas o ponto final está solto. Qual é a pequena coisa que você pode fazer hoje que leva um pequeno passo na direção do que você deseja / pretende?

Medo

O medo e a dúvida são barreiras comuns, mas podem ser trabalhados e, com o tempo, reconhecidos e aceitos como parte da jornada. Seria incomum se eles não estivessem lá - especialmente se você estiver procurando algo realmente significativo -, mas você não precisa deixá-los assumir o controle ou sobrecarregá-lo.

Ao sentir medo, você pode perceber:

- Aumento da frequência cardíaca

- Sudorese

- Pernas sem força

- Sentir-se doente / náusea

- Garganta seca ou esticada

- Músculos apertando

- Postura se tornando defensiva (debruçada, entrando na posição fetal)

- Seu corpo congela e você se sente incapaz de se mover.

Defina uma intenção aninhada para ser corajoso ao trabalhar com intenções. Isso o ajudará a perceber mais rapidamente quando o medo estiver impedindo você. Não deixe que o medo seja a base de suas decisões.

Viés de custo irrecuperável

Você já comprou um par impressionante de sapatos de grife e os usou apesar de realmente machucarem seus pés - simplesmente porque sentiu a necessidade de obter o valor do seu dinheiro? Você já agarrou algo que comprou, mas não usa ou gosta particularmente simplesmente porque era caro? Você já continuou lendo um livro ou assistindo a um filme até o fim, apesar do fato de não estar gostando? Você permaneceu em uma parceria de negócios ou se ateve a uma estratégia de negócios principalmente porque investiu pesadamente nela - quando claramente não estava funcionando?

Se você respondeu sim a qualquer uma das opções acima, sofreu um "viés de custo irrecuperável". O viés de custo irrecuperável é a tendência de continuar investindo em uma proposta perdida por causa do que já lhe custou. Os seres humanos são todos inatamente avessos à perda. Quem quer perder-se ou admitir que desperdiçou dinheiro, tempo ou energia que poderiam ter sido melhor gastos?

Ao trabalhar com intenção, principalmente nos estágios 3 e 4 da estrutura do IDEA, observe o viés de custo irrecuperável. Se algo não estiver funcionando, ou não for mais o que você quer ou precisa, deixe para lá, mude sua direção ou refine sua intenção.

Autossabotagem

A autossabotagem geralmente é desencadeada pelo medo de conseguir o que você deseja. O comportamento de sabotagem automática cria problemas em sua vida e interfere na realização de suas intenções. Comportamentos comuns de auto sabotagem incluem procrastinação, automedicação com drogas ou álcool, raiva, comodidade e formas de automutilação, como se cortar. Esses atos podem parecer úteis no momento, mas acabam prejudicando seus esforços, especialmente quando você os pratica repetidamente.

As pessoas nem sempre estão conscientes de sua própria sabotagem ou do dano que está causando, porque os efeitos de seu comportamento podem não aparecer por algum tempo.

Ao trabalhar com intenção, algumas pessoas experimentam auto sabotagem. Em algum nível, eles sentem que seu sucesso é injustificado. Os seres humanos podem até sentir medo de seu próprio poder - medo de que realmente estejam bem, medo de ter sucesso.

Para você, esses medos podem estar profundamente ocultos ou você pode estar dolorosamente ciente deles. Fique atento à sua voz interior "e se". Pode estar sussurrando para você:

- E se eu conseguir?

- E se eu não conseguir?

- E se eu entendi errado?

- E se eu não conseguir lidar?

Às vezes, sua própria voz do tipo 'e se' pode ser útil, permitindo que você imagine um futuro e faça uma representação rica em sua mente de como as coisas podem parecer ou sentir assim que as intenções acontecerem. Outras vezes, a imagem do sucesso no futuro vem com emoções menos positivas. Para alguns, o sucesso pode trazer suas próprias preocupações e medos. Obter uma boa noção do seu "e se" o ajudará a identificar, entender e remover quaisquer bloqueios.

Ferramentas e técnicas para superar barreiras

Nas próximas páginas, você encontrará algumas ferramentas e técnicas projetadas para superar barreiras

Ferramenta 1: Pare de procrastinar

Tente uma ou mais delas para se livrar da procrastinação e entrar em ação.

1. Defina um cronômetro e comece a tarefa por apenas quinze ou vinte minutos. Comprometa-se a fazer vinte minutos e, mesmo que você fique sentado olhando para uma tela em branco, tudo bem. Você começou. O que geralmente acontece é que definir um limite de tempo mais curto (em vez da tarefa maior de "Eu

tenho que fazer tudo agora") divide a tarefa um pouco e a torna mais gerenciável. Depois de prosseguir, você descobrirá que provavelmente poderá continuar e fazer um pouco mais, podendo até concluí-la.

2. Às vezes, uma intenção pode parecer esmagadora e a procrastinação entra em ação, inibindo o movimento para a frente. Tente encontrar uma pequena coisa que você pode fazer agora ou hoje, que o levará na direção que você deseja seguir. Faça esta ação com total consciência e direção (de suas intenções). Não importa se é apenas uma coisa minúscula; você está se movendo na direção de sua intenção. Fazer isso com consciência o torna ainda mais forte. Você está construindo o músculo da intenção um pouco de cada vez. Você está no caminho certo, mesmo que o passo seja apenas um pequeno embaralhar adiante.

3. Se você tentar as técnicas 1 e 2 (acima) e não chegar a lugar algum, faça uma pausa e explore em sua mente e corpo ... o que realmente está atrapalhando?

Ferramenta 2: Mudando a maneira como você se comporta

Como você pode realmente fundamentar suas intenções? A estrutura de conhecimento, habilidades e confiança é demonstrada por pesquisas para apoiar as pessoas a mudarem comportamentos. É usado na pesquisa em saúde para ajudar as pessoas a superar a lacuna de intenção e ação.

Os clientes que trabalham com minha amiga e colaboradora neste trabalho - Dra. Tamara Russell - consideraram o seguinte uma lista útil para ver o que é necessário para progredir e quem ou o que pode ajudar quando você estiver se sentindo paralisado.

1. **Conhecimento** - você tem o conhecimento técnico correto para executar suas intenções? Caso contrário, quem pode ajudar ou onde você precisa fazer mais alguma outra pesquisa?

2. **Habilidades** - você tem as habilidades necessárias para executar os sub-objetivos ou as etapas necessárias para levá-lo adiante? Seja realista sobre as lacunas de suas habilidades. Procure treinamento sempre que necessário. Pense em quem você pode recrutar para ajudá-lo.

3. **Confiança** (autoeficácia) - Quão confiante você está em alcançar o que se propôs a fazer? Seja realista sobre isso. Tudo bem (e natural) ter dúvidas. Seja dono deles de maneira consciente, sem julgamentos, com curiosidade, sem reagir e ser muito duro consigo mesmo.

Ao trabalhar com a Etapa 3 acima, Tamara favorece uma abordagem focada na solução, para explorar a confiança em mais detalhes:

- Pense em sua intenção com verdadeira honestidade, quão confiante você está em alcançar o que se propôs a fazer?

- ❧ Classifique sua pontuação em uma escala de 0 (nada confiante) a 10 (absolutamente certo).

- ❧ Pergunte a si mesmo: "Se eu acordar amanhã e o projeto for tudo o que eu sonhava, o que estaria acontecendo? Como seria? O que eu estaria fazendo? Sentindo? Experimentando?

Tendo reconhecido que pode haver algumas barreiras psicológicas persistentes em relação a essa intenção, observe novamente as pontuações que você atribuiu na escala de classificação. Se você desse uma pontuação de 7/10 - o que levaria essa pontuação de sete para oito? Reflita sobre isso.

Da mesma forma, o que moveria a classificação um ponto para a esquerda?

O que tornaria os sete um seis? Reflita sobre isso.

Estar ciente de medos, julgamentos e crenças autolimitantes oferece opções. Isso pode ajudá-lo a recuperar seu senso de controle e proporcionar uma sensação de alívio. Você não precisa remover totalmente a dúvida, apenas saiba que ela existe.

Ferramenta 3: Removendo crenças limitantes

Se você definir uma intenção, mas depois, quando estiver pensando nela, começar a se sentir um pouco incerto e desconfortável, as crenças limitantes podem estar atrapalhando. Para progredir, você precisa trazê-las à consciência. Você pode fazer isso fazendo a si mesmo as seguintes perguntas:

? Que resistência estou sentindo por dentro enquanto penso em alcançar esse objetivo?

? Por que não consigo superar certos desafios para alcançar meu objetivo? O que está me segurando?

? O que especificamente está atrapalhando?

? Em quais hábitos inúteis estou me apoiando?

? Como estou pensando nessa situação?

? O que estou dizendo ou fazendo a mim mesmo que está me segurando?

? Que desculpa eu costumo me entregar? O que essas desculpas significam? Por que eu os faço?

? Por que acho que isso é difícil ou muito difícil? O que está me parando? Por quê?

? De que tipo de coisas eu tendo a reclamar ou culpar os outros?

? Possivelmente tenho regras psicológicas que me impedem de seguir em frente?

? Quais pensamentos negativos e pessimistas eu tendem a me entregar enquanto prossigo esse objetivo?

? Que suposições ou conclusões estou tirando sobre minha incapacidade de atingir esse objetivo?

? Tenho alguma crença global que possa me impedir?

? O que eu espero que aconteça? O que geralmente

acaba acontecendo? Por que há uma discrepância aqui?

? Meus padrões são muito baixos? Por quê? Talvez eu deva elevar a fasquia?

? Tenho algum valor em conflito com meus objetivos? O que eu acredito sobre esses valores?

? Como estou me rotulando e / ou me descrevendo enquanto trabalho em direção a esse objetivo? Como isso pode estar causando problemas?

? Que histórias eu me conto sobre o que devo ou não fazer, e o que deveria ou não deveria acontecer? Como isso é significativo?

Após reservar um tempo para refletir sobre essas questões, é importante que você especifique corretamente que tipo de crenças limitantes estão impedindo você no momento. Pergunte a si mesmo:

? Que ideias as respostas a essas perguntas fornecem sobre minhas crenças limitantes?

? Que crenças limitantes específicas estão me impedindo agora?

? Como essas crenças limitantes estão me impedindo de alcançar minhas metas e objetivos desejados?

? Como essas crenças limitantes estão me negando a oportunidade de me tornar a pessoa que eu quero ser?

Lembre-se de que suas crenças limitantes são suposições que você faz sobre a realidade que não são verdadeiras em sua situação particular. Eles não são úteis e certamente não atendem a você nem aos objetivos que você deseja alcançar.

Ferramenta 4: Trabalhando com o medo

O medo de ser julgado, de errar, de ser humilhado, rejeitado ou abandonado pode ter a intensidade dos mais primitivos medos como a morte, ferimentos etc. Se o medo está impedindo você, você e somente você pode parar o medo. Ao sentir medo, tente um ou mais dos seguintes procedimentos.

Familiarize-se com seus medos

A melhor maneira de trabalhar com isso é familiarizar-se com o que é ter medo. Conheça o padrão de medo no corpo.

Faça uma pausa agora para considerar a última vez em que você estava com muito medo.

a. Qual foi a situação? O que estava acontecendo? Você estava em perigo físico ou psicológico?

b. Permita-se tempo para gerar uma rica memória da situação e depois sintonizar o corpo; o que você sente?

c. Quando você sente medo, o que nota na região do coração? Aqui muitas vezes existem sensações mais sutis. O coração está abrindo ou fechando? Existe uma sensação de expansão ou contração?

Estabeleça a intenção de ser corajoso

Ser corajoso pode ajudá-lo a superar o medo.

Lembre-se de um modelo ou alguém em sua vida que você sabe ser corajoso. Lembre-se dessa pessoa quando sentir medo ou incerteza. Ouça a voz deles, imagine o rosto deles. O que eles diriam para você neste momento?

Sinta o medo e faça de qualquer maneira

Faça uma pequena coisa que assusta você todos os dias. Quando você se coloca deliberadamente em uma situação física medrosa, observe a mente e o corpo e observe realmente seus padrões únicos de pensamento e comportamento.

Tenha atenção plena aos seus medos

A atenção plena pode realmente ajudá-lo a trabalhar de maneira diferente quando encontrar emoções fortes como o medo. A prática regular da atenção plena pode ajudá-lo a ver com mais clareza como, quando e por que esses padrões mentais são acionados e se desenvolvem. Conhecê-los mais detalhadamente significa que você tem mais poder sobre eles. Eles ainda podem surgir e surgir, mas você será menos atraído por eles e mais capaz de se soltar e voltar.

Ferramenta 5: trabalhando com frustrações

a. Em momentos de frustração, tente realmente sintonizar o tom da voz interior que você está experimentando neste momento.

b. Observe o que sua voz interior está dizendo. Pode estar dizendo "Não é isso que eu estava planejando" ou "isso não está indo a lugar nenhum" ou "Isso simplesmente não está acontecendo".

c. Quantos tons diferentes de voz você pode usar para emitir esse som?

d. Tente mudar os fundamentos emocionais dessas mensagens de voz internas; mudar os padrões de estresse e entonação. Como isso muda as coisas? O que você percebe?

Ferramenta 6: Mantendo sua energia e foco

Um recente estudo da Harvard Research (2) sugere que, durante quase metade do seu dia útil, sua mente pode estar vagando. O Gerenciamento de Atenção foi considerado uma das habilidades mais críticas do século XXI. Com tantas distrações eletrônicas, como você gerencia sua energia é vital, agora mais do que nunca.

Da mesma maneira que trabalhando em um projeto importante, trabalhar com intenção exige que você mantenha seu tanque de energia cheio. Seu tanque de energia precisa ser recarregado e recarregado regularmente. Para verificar seu nível de energia, este exercício, retirado do treinamento da atenção plena, pode ser muito valioso.

1. Liste as principais atividades do seu dia.

2. Marque-os com um 'N' se eles o nutrem ou um 'E' se o esgotar ou esgotar sua energia

3. Dê uma olhada no saldo da sua lista. Quantos N's existem? E's?

4. Se houver mais 'E' que 'N', como você alterará o equilíbrio? Que atividades agradáveis você adicionará de volta à sua vida?

Resumo

Trabalhar com intenções pode ser emocionante e mudar a vida, mas várias coisas podem tirar você do caminho. Isso pode incluir manifestações imaturas de intenções, crenças limitantes, expectativas rígidas, procrastinação, medo, viés de custo irrecuperável e autossabotagem.

- ❧ Pare de procrastinar ajustando um cronômetro por vinte minutos e fazendo algo, por menor que seja.

- ❧ Mude a maneira como você se comporta, explorando seus valores, auto-rotulando e histórias que conta a si mesmo.

- ❧ Remova as crenças autolimitantes, entendendo-as e refletindo.

- ❧ Trabalhe com medo conhecendo-os, sendo corajoso e fazendo algo que o assuste sempre que puder.

- ❧ Resolva as frustrações sintonizando o tom da sua voz interior e alterando os fundamentos emocionais.

- ❧ Mantenha a energia e o foco equilibrando as atividades nutritivas e esgotantes.

🪱 Recursos adicionais e estudos de caso que suportam este capítulo estão disponíveis no meu site: www.intention-matters.com

Estar atento aos seus pensamentos, emoções e respostas físicas o ajudará a reconhecer e - com tempo e paciência - superar as barreiras que enfrentar.

Referências

1. Daphne Rose Kingma

2. Killingsworth and Gilbert (2010). A wandering mind is an unhappy mind. Science. 2010 Nov 12;330(6006):932.

Capítulo 12:

Próximos passos

"Você precisa saber o que quer. Isso é fundamental para agir de acordo com suas intenções. Quando você sabe o que deseja, percebe que tudo o que resta é gerenciamento de tempo. Você administrará seu tempo para atingir seus objetivos, porque sabe claramente o que está tentando alcançar em sua vida. "

- Hunter Doherty "Patch" Adams, médico, ativista social, fundador do Instituto Gesundheit! e autor.

Neste capítulo:

- ❧ *Treinamento e suporte*

- ❧ *Informações e recursos adicionais*

- ❧ *Leitura adicional*

O que Importa é a Intenção foi desenvolvido como um livro de auto-ajuda e foi projetado para equipá-lo com tudo o que você precisa para mudar sua vida com intenção.

Se você sentir que gostaria de se desenvolver mais ou desejar alguma ajuda e suporte, as próximas páginas podem ser úteis.

Treinamento para ajudá-lo a trabalhar com a intenção

Ofereço cursos de treinamento de um dia e fim de semana para ajudá-lo a entender e mergulhar na definição e no trabalho com intenções. Detalhes disso estão publicados no meu site de assuntos de intenção.

O I-AM Coletivo

O I-AM é um animado grupo on-line criado para incentivar a colaboração e o compartilhamento de ideias.

É uma opção divertida, flexível e acessível para aqueles que desejam mais apoio em sua jornada de intenção. Os membros compartilham seus sucessos e se apoiam para superar as barreiras que encontram.

O I-AM coletivo fornece colaboração contínua e compartilhamento de informações para quem deseja trabalhar com intenção. Os assinantes terão acesso a uma sessão de treinamento 1:1 com Juliet Adams e acesso a recursos e informações adicionais gratuitos. Além disso, eles podem se encontrar on-line com outras pessoas via web live mensal, hospedado pelo autor e pelos principais colaboradores deste livro. Cada reunião ao vivo incluirá informações de especialistas sobre específicos aspectos do trabalho com intenção e permitirá tempo para perguntas e respostas individuais.

Mais informações estão disponíveis no meu site.

Treinamento individual

Se você acha que se beneficiaria de um treinamento individual e / ou mentoria comigo - Juliet Adams - ou com a Dra. Tamara Russell, entre em contato conosco pelo site de assuntos de intenção. Se não conseguirmos oferecer isso devido a outros compromissos, sugerimos alegremente algumas alternativas para ajudá-lo a avançar.

Forme seu próprio grupo

O objetivo deste livro é dar a você a confiança e o conhecimento para trabalhar com a intenção. Se você deseja colaborar com outras pessoas para compartilhar ideias e se apoiar, por que não formar seu próprio grupo? Você pode conhecer on-line ou pessoalmente.

Reunir-se regularmente com outras pessoas que trabalham com intenção ajudará você a se manter motivado. Como organizador do grupo, você se beneficiará da experiência e sabedoria de outras pessoas. Se você criar um grupo, gostaríamos de saber como você se sai. Compartilhe suas histórias de sucesso enviando-me um e-mail através da página de contato do meu site abaixo.

Ferramentas e recursos adicionais

Estudos de caso

Na parte 2 deste livro, mencionei vários estudos de caso que ilustram diferentes maneiras de aplicar e trabalhar com a estrutura do IDEA. Os estudos de caso podem ser encontrados na seção de recursos do site intention-matters.com.

Ferramentas adicionais para trabalhar com as etapas 1 a 4 da estrutura da IDEA

Desenvolvi ferramentas adicionais para ajudá-lo a aplicar a estrutura da IDEA. Estes estão disponíveis para assinantes do I-AM Collective.

Ferramentas adicionais para ajudá-lo a superar barreiras e contratempos

Desenvolvemos algumas ferramentas adicionais para ajudá-lo a superar barreiras e contratempos. Estes estão disponíveis para assinantes do I-AM Collective.

Leitura adicional

Pesquisa sobre a neurociência da intenção:

- ✎ Anscombe, G.E.M. Intention. Harvard University Press; 2nd edition, 2000).

- ✎ Benjamin Libet's work on the neuroscience of free will. Libet, Benjamin (1985). Unconscious cerebral initiative and the role of conscious will in voluntary action. The Behavioral and Brain Sciences. 8 (4): 529–566.

- Damasio, Antonio. (2006). Descartes' Error: Emotion, Reason and the Human Brain. Vintage, 2006.

- M. Bratman. (1987). Intention, plans, and practical reason. Cambridge, MA: Harvard University Press.

- McTaggart, Lynne. (2008). The Intention Experiment.

- Harper Element

- Mele, A. Effective intentions: The power of conscious will.. New York, NY: Oxford University Press, 2009.

- Pacherie, Elisabeth. (2000). The content of intention.

- Mind and Language 15 (4):400-432 (2000)

- Schmidt, S. (2012). Can we help just by good intentions? A meta-analysis of experiments on distant intention effects. Journal of Alternative Complimentary Medicine. 2012 Jun;18(6):529-33. doi: 10.1089/acm.2011.0321.

- Slors, M. (2015). Conscious intending as self-programming. Philosophical Psychology.

- Wallas, A. (2019) Intention: How to tap into the most underrated power in the universe, Aster

Books on Mindfulness

- Adams, J. (2016). Mindful Leadership for Dummies. John Wiley & Sons.

- Russell, T. (2017). What Is Mindfulness? Watkins Publishing.

- Williams, M. and Penman, D. (2011). Mindfulness, a Practical Guide to Finding Peace in a Frantic World. Piatkus.

O que você achou de O que importa é a Intenção?

Eu gostaria de receber seu feedback....

Antes de tudo, obrigado por adquirir A Intenção Importa. Eu sei que você poderia ter escolhido qualquer número de livros para ler, mas você escolheu este livro e, por isso, estou extremamente agradecida.

Espero que tenha agregado valor e qualidade ao seu dia a dia. Nesse caso, seria muito bom se você pudesse compartilhar este livro com seus amigos e familiares postando no Facebook, Instagram, ou Linked in. Se você quiser me marcar no Facebook, eu sou @intentionmatters1 minha conta do Instagram é julietadams-aheadforwork; minha conta no LinkedIn é linkedin. com/in/julietadams.

Se você gostou deste livro e encontrou algum benefício ao ler isso, gostaria de ouvir sua opinião e espero que você leve algum tempo para postar uma resenha na Amazon. Seus comentários e apoio me ajudarão a melhorar muito meu trabalho de redação para projetos futuros e tornar este livro ainda melhor.

Desejo a todos o melhor em seu futuro sucesso!

Glossário de termos

Ação (A)
Um termo usado no modelo I-AM - Agir para fazer uma intenção acontecer.

Aceitação
Um termo usado em atenção plena. Permitindo que as coisas sejam como são neste momentosem tentar mudá-las.

Acontecendo (A)
Parte do modelo I-AM. Refere-se a uma intenção que se torna realidade.

Alocando Atenção (AA)
Um termo usado no modelo I-AM - Processo cognitivo no cérebro envolvendo córtex pré-frontal e córtex parietal.

Amígdala
Parte do cérebro - um conjunto de neurônios em forma de amêndoa, localizado no fundo do lobo temporal medial do cérebro. Desempenha um papel fundamental no processamento de emoções.

Ativação da vontade (AW)
Um termo usado no modelo I-AM

- processo cognitivo no cérebro, envolvendo o desejo de agir e um senso de responsabilidade por suas ações. Envolve o córtex cingulado anterior (responsável pela motivação e planejamento) e o córtex pré-cuneiforme, uma área associada à agência.

Autossabotagem	Comportamento criando problemas na vida e interferindo em objetivos e intenções. Pode incluir procrastinação, automedicação com drogas ou álcool, comer confortavelmente.
Cérebro	Hardware físico que ocupa espaço no seu crânio. Ele transmite informações por impulsos químicos e coleta informações pelos cinco sentidos, vincula-as às informações existentes armazenadas no cérebro. Armazena e recupera informações.
Cérebro subconsciente	Um vasto banco de memória que armazena suas crenças, memórias e experiências de vida. Essas informações afetam seu comportamento e ações em diferentes situações.
Conexão mente-corpo	Sua mente é influenciada pela forma como seu corpo se sente e seu corpo é influenciado por sua mente. A comunicação entre os dois é de cima para baixo e de baixo para cima.
Córtex cerebral	Parte do cérebro responsável pelo pensamento, percepção, produção e compreensão da linguagem e processamento de informações.
Crenças limitantes	Crenças que restringem de alguma maneira. Elas geralmente são sobre você e sua identidade própria. Eles também podem ser sobre outras pessoas e o mundo em geral.

Crença (Belief B)	Um componente central da intenção (veja a intenção abaixo). Parte do modelo I-AM - uma aceitação de que uma intenção irá acontecer ou é possível.
Desejo Sincero e Profundo (DSD)	Parte do modelo I-AM e a definição de intenção (veja abaixo). Um sentimento sincero em oposição ao desejo superficial de que algo aconteça.
Distal	As intenções distais estão mais distantes no tempo e podem levar mais tempo para serem alcançadas. As principais e mega intenções são exemplos.
Dopamina	Um mensageiro químico importante no cérebro. Envolvido em recompensa, desejo, motivação, memória, atenção, aprendizado e respostas emocionais.
Esforço em excesso	Colocando-se sob uma pressão excessiva na busca de um objetivo ou intenção. A pressão excessiva reduz drasticamente sua criatividade, capacidade de tomar boas decisões e desempenho geral.
Estado mental ideal	No modelo de intenção consciente, um "estado mental ótimo" é aquele em que o cérebro se sente seguro. Nesse estado, você pode acessar mais facilmente sua capacidade de pensar no cérebro superior e ter um controle mais consciente.

Estrutura da IDEA	Uma estrutura de quatro etapas projetada para ajudá-lo a trabalhar com a intenção. Etapa 1: Identidade, 2: Destilar ou refinar, 3: Incorporar e incorporar, 4: Agir.
Gânglios da base	Parte do cérebro associada ao movimento, aprendizado, aprendizado de hábitos, cognição e emoção.
Hábitos	Uma rotina ou comportamento que se repete regularmente e tende a ocorrer subconscientemente.
Hemisfério direito / esquerdo	O cérebro consiste em dois hemisférios cerebrais separados por um sulco. O cérebro é assim dividido em hemisférios cerebrais esquerdo e direito. Cada um possui uma camada externa de massa cinzenta, suportada por uma camada interna de massa branca.
Incorporando	Parte da estrutura da IDEA (veja abaixo). Na Etapa 3 da estrutura, você começa a incorporar a intenção em sua vida, incorporando-a.
Instinto intestinal	No seu intestino há uma rede de neurônios. A rede é tão extensa que os cientistas apelidaram de "o pequeno cérebro". O pequeno cérebro influencia suas emoções e determina seu estado mental. O instinto intestinal explode em seu estado mental inconsciente, enviando informações do intestino para o cérebro, para informar as decisões.

Intenção	Definida neste livro como "Um desejo sincero e profundo, sustentado por uma crença de que é possível". Os formulários de intenção (em ordem de escala) incluem micro, aninhado, núcleo e mega.
Intenção centrais	As intenções centrais têm a capacidade de mudar a vida. Elas são menores em escala do que mega intenções.
Intenção de mudança de dia	Uma micro intenção que pode mudar o curso do seu dia.
Intenção de mudança de vida	Intenções centrais e mega intenções. Este último tem o potencial de mudar o mundo.
Intenção instantânea	Neste livro, uma micro intenção é descrita como 'uma intenção que muda o dia ou que muda instantaneamente'.
Intenções aninhadas	Intenções que podem contribuir para a conquista de uma intenção central ou mega.
Intenções confusas	A falta de uma intenção clara. Uma intenção que você ainda não pensou completamente. Iniciando um processo para alcançar algo sobre o qual você não está totalmente claro.
Manifestação imatura de uma intenção	Definir uma intenção de entregar exatamente o que você pediu, mas que não é o que você realmente precisa ou deseja. A intenção emerge em sua vida em um estado imaturo que precisa de mais refinamento.

Mega intenções	Intenções grandes e potencialmente capazes de mudar o mundo. Pode levar uma vida inteira para alcançar.
Memória de trabalho)	A parte da memória de curto prazo em seu cérebro relacionada ao processamento perceptivo e lingüístico consciente imediato.
Mente	Instrui o cérebro. Não é um objeto físico. Transforma impulsos químicos / elétricos em experiências mentais (imagens ou pensamentos). Ele usa as informações coletadas para permitir que você se conscientize do mundo e de suas experiências, pensamentos e sentimentos.
Metacognição	Uma consciência e compreensão dos seus processos de pensamento. A capacidade de observar o que está acontecendo em sua mente.
Metas	Metas são diferentes das intenções. São focados no futuro, limitados, um destino ou conquista específica, geralmente de curto prazo, fixos e lógicos.
Micro intenções	Intenções instantâneas de mudança de momento. Menor em escala e duração do que as intenções aninhadas ou principais.
Modelo I-AM	Modelo de Ativação de Intenção - explica como a mente encarrega o cérebro, encarregando o corpo de fazer as coisas acontecerem no mundo exterior.

Modo de abordagem da mente	A atenção plena ajuda a cultivar um modo de abordagem da mente, explorando-o ativamente com abertura e curiosidade - o oposto de evitar (fazer algo para evitar que algo de ruim aconteça. O modo de abordagem pode melhorar a criatividade em 50%.
Monitoramento aberto	Na meditação da atenção plena, o foco atencional pode ser estreito (focado em um ponto) ou amplo - uma percepção ampla de tudo o que está acontecendo ao seu redor. Isso às vezes é chamado de 'monitoramento aberto'.
Neurônios	Também chamados neurônios ou células nervosas - as células do cérebro responsáveis por receber informações sensoriais do mundo externo, enviar comandos motores aos músculos e transformar e retransmitir os sinais elétricos a cada passo intermediário.
Neuroplasticidade	A capacidade do cérebro de se reorganizar, formando novas conexões neurais ao longo da vida. As coisas que dizemos ou pensamos na maioria das vezes formam conexões físicas mais fortes no cérebro.
Núcleo Accumbens	Parte do cérebro que desempenha um papel central no circuito de recompensa. Sua operação é baseada principalmente em dois itens essenciais: dopamina e serotonina.

Piloto automático	Um termo usado na atenção plena para descrever o quanto de sua vida é conduzido no piloto automático - sem o seu controle consciente. As respostas do piloto automático podem ser inadequadas para a situação.
Processos Cognitivos (Cognitive Processes CP)	Parte do modelo I-AM. Refere-se a uma gama de processos que envolvem diferentes áreas do cérebro que contribuem para a realização de uma intenção. Os principais processos cognitivos incluem sensação, percepção, atenção, memória e pensamento.
Proximais	As intenções proximais estão próximas no tempo - micro intenções são exemplos disso.
Racionalidade	A qualidade ou estado de ser racional.
Rede de Atenção	Áreas do cérebro responsáveis por direcionar e sustentar a atenção. Pensa-se que o córtex pré-frontal controla a atenção do cérebro.
Rede de modo padrão (DMN)	Uma rede dentro do cérebro que é mais ativa quando o cérebro está em repouso. Também é ativo quando o indivíduo está pensando nos outros, pensando em si mesmo, lembrando-se do passado e planejando o futuro.

Representação motora (Motor Representation MR)	Ocorre no cérebro - o precursor mental da ação - normalmente consciente.
Ressonância Magnética Funcional	Às vezes chamada ou funcional de ressonância magnética (fMRI), tecnologia de varredura cerebral que mede a atividade cerebral, detectando alterações associadas ao fluxo sanguíneo.
Rituais	Uma cerimônia que consiste em uma série de ações executadas de acordo com uma ordem prescrita. Algumas pessoas criam seus próprios rituais para ajudá-las a incorporar suas intenções em seus cérebros.
Serotonina	Um importante mensageiro químico no cérebro. Os efeitos incluem a sensação de que uma necessidade é atendida e a inibição de impulsos.
Sistema de recompensa	O sistema de recompensa é uma coleção de estruturas cerebrais responsáveis pela cognição relacionada à recompensa, incluindo reforço positivo, seus 'desejos' e 'gostos'.
Tálamo	Área do cérebro envolvida no relé sensorial e motor e na regulação da consciência e do sono.

Três sistemas cerebrais	Pode ser útil pensar no cérebro como tendo três sistemas principais. Na base do cérebro está o '**tronco cerebral**' (funções básicas de sobrevivência). Acima disso, pode ser encontrado o '**sistema límbico**' (respostas emocionais). No topo está o "**neocórtex**" (processa informações, trabalha para alcançar tarefas, objetivos e intenções conscientes.
Tronco cerebral	O tronco cerebral controla o fluxo de mensagens entre o cérebro e o resto do corpo e também controla as funções básicas do corpo, como respiração, deglutição, freqüência cardíaca, pressão arterial, consciência e despertar.
Viés	Uma inclinação ou preconceito.
Viés de custo irrecuperável	Tendência para as pessoas seguirem irracionalmente uma atividade / projeto que não atenda às suas expectativas, devido ao tempo e / ou dinheiro já investido nela.

CPSIA information can be obtained
at www.ICGtesting.com
Printed in the USA
LVHW080344211022
731167LV00003B/515

9 781916 084421